Cuisine rapide

Ouvrage publié avec l'autorisation de Naumann & Göbel Verlagsgesellschaft mbH

Photographies : TLC Fotostudio
Photo de couverture : StockFood
Réalisation : InTexte, Toulouse
Traduction : Cécile Niqueux-Cadène
Réalisation complète : Naumann & Göbel
Verlagsgesellschaft mbH, Cologne

Imprimé en Chine

ISBN 978-2-89642-469-6

Dépôt légal – Bibliothèque et Archives nationales du Québec, 2011
© Éditions Caractère inc. 2011

Nous reconnaissons l'aide financière du gouvernement du Canada par l'entremise du Fonds du livre du Canada pour nos activités d'édition.

Visitez le site des Éditions Caractère
editionscaractere.com

Cuisine rapide

SOMMAIRE

L'ART DES PROVISIONS

C'est quand on est pressé que
de bien penser sa façon de faire
ses courses se révèle précieux.
Apprenez dans les pages suivantes
tout ce qu'il faut savoir sur le contenu,
le stockage et la conservation
des provisions

CE QU'IL FAUT AVOIR DANS SON GARDE-MANGER

Il est conseillé d'avoir toujours en réserve une provision de conserves (boîtes et bocaux), qui permettent de faire face aux réceptions inattendues. Il faut aussi disposer d'une avance d'épicerie, huile et autres matières grasses, épices, fines herbes séchées et sauces. Un congélateur, si vous en possédez, vous permettra de stocker un large choix de provisions.

Quelques exemples :

Épicerie
Farine, semoule, couscous, lentilles blondes, lentilles vertes du Puy, riz long grain, riz rond, riz pour desserts, spaghettis, pennes, tagliatelles, sucre, sucre en poudre, chapelure, fécule de maïs, gélatine, copeaux de chocolat, fruits secs, noisettes, noix.

Sauces diverses
Moutarde, concentré de tomate, bouillon de légumes ou de volaille instantané, pesto, sauce soya, sauce Worcestershire, Tabasco, crème de raifort, mayonnaise.

Herbes et épices
Sel, poivre du moulin, curry, paprika, poivre de Cayenne, noix de muscade, thym séché, romarin, origan, persil et ciboulette surgelés.

Conserves
Sauce tomate, tomates concassées, lait de coco, cœurs d'artichauts, câpres, filets d'anchois, thon, filets de harengs, chou rouge, haricots rouges, choucroute, asperges, pêches, ananas.

Huiles et autres matières grasses
Beurre, beurre aux herbes, margarine ; huile d'olive, de tournesol, de canola et de noix.

Œufs et produits laitiers
Lait, crème à 15 %, crème sure, crème à 35 %, fromage frais, fromage à la crème, parmesan, œufs.

Viandes et poissons
En surgelé : filets de poisson, filets de saumon, crevettes, poulet et blancs de poulet, viande hachée.

Fruits et légumes
Citrons non traités ; en surgelé : petits fruits variés, cerises, épinards et petits pois ; oignons, ail, pommes de terre.

Produits céréaliers et légumes secs
Farine, pâtes, semoule, couscous, lentilles blondes, lentilles vertes du Puy, riz pour risotto et riz pour desserts.

Boissons
Champagne, vins blanc et rouge, gin, xérès, cognac, porto, vermouth, jus d'orange et de pomme, eau minérale.

LA CONSERVATION DES ALIMENTS DE A À Z

Avocats

Pour conserver une moitié d'avocat et éviter que le fruit ne prenne une coloration brune peu appétissante, il faut impérativement conserver le noyau et citronner la chair.

Champignons des bois

Les champignons qui ne peuvent être consommés le jour même doivent être brossés mais non lavés. Dans un local frais et aéré, ils se conservent 48 heures.

Citrons

Les citrons se conservent assez longtemps dans un endroit frais et sec. Les citrons

entamés se conservent 2 à 3 jours au réfrigérateur si l'on pose le côté entaillé sur une soucoupe.

Conserves

Les bocaux entamés doivent être impérativement gardés au réfrigérateur et rapidement consommés. Le contenu d'une boîte sera transvasé après ouverture dans un récipient de porcelaine, conservé au réfrigérateur et consommé dans un délai de 2 jours.

Fines herbes

La meilleure façon de conserver les herbes est de les emballer sans serrer dans du papier absorbant humide et de les placer au réfrigérateur, où elles garderont leur traîcheur pendant 2 jours.

Poisson

La conservation du poisson au réfrigérateur ne dépasse cependant pas 1 jour.

Pommes

Les pommes peuvent généralement se conserver 2 semaines dans un local frais et aéré.

Raisins

Les raisins ne mûrissent pas une fois cueillis : placés au réfrigérateur sans avoir été lavés, ils s'y garderont 4 jours. On les lavera soigneusement au moment de les consommer.

Tomates

Les tomates n'aiment pas la réfrigération, qui leur fait perdre leur arôme et durcit leur chair. Le mieux est de les conserver à l'obscurité dans un local tempéré.

Viande hachée

La viande hachée est très facilement colonisée par les bactéries : elle doit donc être soigneusement stockée au réfrigérateur et cuisinée dans les 24 heures. Une fois cuite, elle peut être conservée dans la partie la plus froide du réfrigérateur 1 ou 2 jours de plus.

9

COLLATIONS ET SALADES

Salades raffinées ou soupes inventives, amuse-gueule gourmands pour les petites faims ou entrées originales et appétissantes : ce chapitre propose une foule de recettes pour transformer les petits plats inoubliable. Notre salade de courgettes aux olives et raisins secs, nos mini-brochettes de pétoncles ou notre gratin d'aubergines sont la preuve que saveur ne rime pas forcément avec labeur !

SALADE DE SOLE, SAUMON ET BAUDROIE

POUR 8 PERSONNES

8 filets de sole

500 g (1 lb) de filet de saumon

500 g (1 lb) de filet de baudroie

sel

75 ml (⅓ t.) de jus de citron

75 ml (⅓ t.) de beurre

poivre

feuilles de salade

60 ml (4 c. à s.) d'huile de canola

30 ml (2 c. à s.) de vinaigre de xérès

1 piment

8 champignons de Paris

Préparation : 25 minutes + temps de cuisson

1 Saler les filets de poisson et arroser de la moitié du jus de citron. Dans une poêle, chauffer le beurre, ajouter le poisson et faire revenir 3 minutes. Saler, poivrer et réserver.

2 Chemiser un plat de service de feuilles de salade. Mélanger l'huile de canola, le vinaigre de xérès et le jus de citron restant. Laver le piment, hacher menu et incorporer au mélange précédent.

3 Brosser les champignons, émincer et incorporer au mélange précédent. Saler et poivrer. Répartir les filets de poisson sur les feuilles de salade et napper le tout de sauce aux champignons.

SALADE DE ROQUETTE AUX MAGRETS DE CANARD

1 Inciser la peau des magrets en biais. Répartir l'ail et le romarin dans une terrine, couvrir avec les magrets, côté viande dessous. Mélanger le vinaigre et 45 ml (3 c. à soupe) d'huile d'olive, saler et poivrer. Arroser la peau des magrets de la marinade obtenue.

2 Laisser mariner 4 heures et retirer la viande. Dans une poêle, chauffer 30 ml (2 c. à soupe) d'huile, ajouter les magrets et cuire des deux côtés jusqu'à ce qu'ils soient saisis. Ajouter la marinade et les olives, et cuire encore 5 minutes. Couvrir de pellicule plastique et laisser refroidir.

3 Découper les magrets en lamelles de 1 cm d'épaisseur. Chemiser des assiettes de roquette, garnir de lamelles de magrets et d'olives, et saupoudrer de parmesan. Napper de vinaigrette et servir.

POUR 6 PERSONNES

4 magrets de canard
avec leur peau
5 brins de romarin
3 gousses d'ail, hachées
150 ml (⅔ t.) de vinaigre de xérès
75 ml (5 c. à s.) d'huile d'olive
sel et poivre
24 olives noires dénoyautées
750 ml (3 t.) de roquette
125 ml (½ t.) de copeaux de parmesan
vinaigrette prête à l'emploi

Préparation : 20 minutes
+ temps de macération
+ temps de cuisson
+ temps de refroidissement

13

ROULADES DE JAMBON AUX ASPERGES

POUR 6 PERSONNES

1 kg (2 lb) d'asperges vertes
(environ 24 asperges)

sel

sucre

15 ml (1 c. à s.) de beurre

12 tranches de jambon

1 bouquet de persil, haché

30 ml (2 c. à s.) de miel
clair

45 ml (3 c. à s.) d'huile
de pépins de raisin

15 ml (1 c. à s.) de vinaigre
balsamique

**Préparation : 20 minutes
+ temps de cuisson**

1 Nettoyer les asperges et peler le tiers inférieur. Dans une casserole, porter de l'eau à ébullition avec le sel, le beurre et 1 pincée de sucre, ajouter les asperges et cuire 10 à 15 minutes, jusqu'à ce qu'elles soient *al dente*.

2 Égoutter les asperges et laisser refroidir. Enrouler deux par deux dans une tranche de jambon et disposer sur un plat de service.

3 Mélanger le persil, le miel, l'huile de pépins de raisin et le vinaigre balsamique, arroser les roulades de jambon et servir.

BROCHETTES DE POULET AUX ARACHIDES

POUR 6 PERSONNES

600 g (1,5 lb) de filets de poulet

30 ml (2 c. à s.) d'huile de sésame

45 ml (3 c. à s.) de sauce soya

30 ml (2 c. à s.) de xérès

5 ml (1 c. à thé) de gingembre

5 ml (1 c. à thé) de curry

sel

poivre

5 ml (1 c. à thé) de sucre

1 oignon

15 ml (1 c. à s.) de beurre

150 ml (⅔ t.) de beurre d'arachide

250 ml (1 t.) de lait

45 ml (3 c. à s.) d'huile

brochettes en bois

Préparation : 20 minutes + temps de macération + temps de cuisson

1 Détailler les filets de poulet en cubes de la taille d'une bouchée et piquer sur les brochettes. Mélanger l'huile de sésame, 30 ml (2 c. à soupe) de sauce soya, le xérès, les épices et le sucre, ajouter les brochettes et laisser mariner 2 heures.

2 Peler l'oignon et couper en dés. Dans une poêle, faire fondre le beurre, ajouter l'oignon et faire revenir jusqu'à ce qu'il soit translucide. Ajouter le beurre d'arachide et le lait, remuer et porter à ébullition. Incorporer la sauce soya restante et laisser refroidir. Cuire les brochettes au four à 230 °C (450 °F) jusqu'à ce que la viande soit croustillante. Servir les brochettes avec la sauce à part.

MINI-BROCHETTES DE PÉTONCLES

1 Laver les fines herbes, essorer et hacher menu. Peler l'ail et les échalotes, hacher l'ail et couper les échalotes en dés. Mélanger les fines herbes, l'huile d'olive, l'ail et les échalotes, saler et poivrer.

2 Couper le poisson en cubes. Incorporer les pétoncles et les cubes de poisson au mélange précédent, couvrir et laisser mariner 1 heure au réfrigérateur.

3 Retirer les cubes de poisson et les pétoncles de la marinade, égoutter sur du papier essuie-tout et piquer sur les brochettes en alternant. Cuire au four à 190 °C (375 °F) **5** minutes en retournant à mi-cuisson. Répartir les brochettes dans les coquilles, décorer de ciboulette et servir.

POUR 4 PERSONNES

2 ou 3 brins d'estragon
½ bouquet de persil plat
2 gousses d'ail
3 échalotes
45 ml (3 c. à s.) d'huile d'olive
sel
poivre du moulin
20 pétoncles
450 g (1 lb) de filets de poisson blanc à chair ferme (morue, aiglefin, etc.)
15 ml (1 c. à s.) de ciboulette ciselée
pique à cocktail

**Préparation : 15 minutes
+ temps de macération
+ temps de cuisson**

GRATIN D'AUBERGINES

POUR 4 PERSONNES

1 grosse aubergine
75 ml (⅓ t.) de farine
75 ml (⅓ t.) d'huile
sel aux fines herbes
poivre
300 ml (1¼ t.) de sauce
italienne aux herbes, prête à
l'emploi
30 ml (2 c. à s.) de gelée
de canneberge
500 ml (2 t.) de mozzarella,
coupée en lamelles

**Préparation : 20 minutes
+ temps de cuisson**

1 Peler l'aubergine, laver et couper en tranches. Fariner les tranches encore humides.

2 Dans une poêle, chauffer l'huile, ajouter les tranches et cuire jusqu'à ce qu'elles soient uniformément dorées. Saler et poivrer. Préchauffer le four à 200 °C (400 °F).

3 Déposer les aubergines dans un plat à gratin. Mélanger la gelée de canneberge et la sauce italienne, verser dans une casserole et chauffer jusqu'à obtention d'une consistance homogène. Napper les aubergines de sauce, couvrir de mozzarella et cuire au four 15 minutes, jusqu'à ce que le gratin soit doré.

SOUPE DE CAROTTES AU GINGEMBRE

1 Peler l'ail et l'oignon, et hacher. Peler les carottes et couper en dés. Émincer le céleri. Peler le gingembre et râper.

2 Dans une grande cocotte, chauffer l'huile, ajouter l'oignon, l'ail, les carottes, le céleri et le gingembre, et cuire 5 minutes à feu doux en remuant souvent.

3 Mouiller avec le bouillon, porter à ébullition et laisser bouillir 30 minutes à feu doux. Réduire au mélangeur la préparation obtenue. Laver la coriandre, essorer et hacher. Incorporer la coriandre au potage, saler et poivrer. Porter de nouveau à ébullition et incorporer la crème sure.

POUR 4 PERSONNES

1 oignon

2 gousses d'ail

3 carottes

1 branche de céleri

1,5 cm (½ po) de rhizome de gingembre

30 ml (2 c. à s.) d'huile d'olive

1 l (4 t.) de bouillon de légumes

½ botte de coriandre

sel

poivre

30 ml (2 c. à s.) de crème sure

Préparation : 25 minutes + temps de cuisson

ASTUCE

Pour une saveur fraîche et fruitée, on peut remplacer 250 ml (1 t.) de bouillon par la même quantité de jus d'orange.

19

SALADE DE CHÈVRE CHAUD

POUR 4 PERSONNES

3 brins de thym

3 brins de romarin

1 gousse d'ail

125 ml (½ t.) d'huile d'olive

8 tranches de baguette

8 médaillons de chèvre frais d'environ 40 g

1 botte de roquette

1 laitue

200 g (½ lb) de tomates cerises

30 ml (2 c. à s.) de vinaigre de vin blanc

sel

poivre

50 ml (¼ t.) d'olives noires, dénoyautées

Préparation : 25 minutes

1 Laver les fines herbes, sécher et hacher finement les feuilles. Peler l'ail et hacher. Dans une poêle, chauffer la moitié de l'huile d'olive, ajouter l'ail et les fines herbes, et faire revenir très rapidement. Ajouter les tranches de pain et cuire jusqu'à ce qu'elles soient dorées. Répartir sur une plaque et garnir chaque tranche d'un médaillon de chèvre.

2 Trier et laver la roquette et la laitue. Nettoyer les tomates et couper en deux. Mélanger le vinaigre et l'huile restante, saler et poivrer.

3 Passer les médaillons de chèvres au gril. Mélanger les tomates, la roquette, la laitue, la vinaigrette et les olives, répartir dans des assiettes et garnir avec les médaillons de chèvre.

SALADE DE COURGETTES AUX OLIVES ET AUX RAISINS SECS

1 Mélanger le xérès, l'huile, le vinaigre et la moutarde, saler et poivrer. Rincer les raisins secs à l'eau chaude, émietter le fromage et couper les olives en rondelles. Incorporer le tout à la sauce.

2 Laver les courgettes, sécher et peler. Couper en quatre puis en tranches.

3 Garnir un plat de service de feuilles de salade, ajouter les courgettes et arroser de sauce. Garnir de feuilles d'origan et servir.

POUR 4 PERSONNES

30 ml (2 c. à s.) de xérès
30 ml (2 c. à s.) de vinaigre de xérès
60 ml (4 c. à s.) d'huile d'olive
5 ml (1 c. à thé) de moutarde
sel et poivre
125 ml (½ t.) de raisins secs
125 ml (½ t.) de féta
250 ml (1 t.) d'olives noires, dénoyautées
1 l (4 t.) de courgettes
1 laitue frisée rouge
15 ml (1 c. à s.) de feuilles d'origan, en garniture

Préparation : 20 minutes

COCKTAIL DE HOMARD

1 Nettoyer les asperges, peler le tiers inférieur et couper en tronçons de 4 cm (1,5 po). Cuire à l'eau bouillante salée jusqu'à ce qu'elles soient *al dente*. Laver les tomates cerises et couper en quartiers.

2 Mélanger la mayonnaise, le ketchup, le cognac et le jus de tomate, saler et poivrer, et incorporer du sucre et le Tabasco. Fouetter la crème, incorporer à la mayonnaise et ajouter le cerfeuil haché. Ajouter la chair de homard, les tronçons d'asperges et les tomates, et bien mélanger le tout.

3 Laver la salade, essorer et chemiser des coupes individuelles. Garnir chaque coupe de la préparation précédente, parsemer de feuilles de persil et servir.

POUR 8 PERSONNES

500 g (1 lb) d'asperges vertes, environ 12 asperges
sel
500 g (1 lb) de tomates cerises
150 ml (⅔ t.) de mayonnaise
45 ml (3 c. à s.) de ketchup
30 ml (2 c. à s.) de cognac
45 ml (3 c. à s.) de jus de tomate
5 ml (1 c. à thé) de Tabasco
poivre et sucre
75 ml (⅓ t.) de crème à 35 %
½ bouquet de cerfeuil frais, haché
1,2 kg (2,5 lb) de chair de homard cuite
6 à 8 feuilles de salade
1 poignée de feuilles de persil, en garniture

Préparation : 25 minutes

23

SOUPE DE LÉGUMES

POUR 4 PERSONNES

1 oignon

3 carottes

1 branche de céleri

2 courgettes

2 pommes de terre

60 ml (4 c. à s.) de beurre

1,5 l (6 t.) de bouillon de légumes

30 ml (2 c. à s.) de persil frais haché

sel

poivre

Préparation : 20 minutes + temps de cuisson

1 Peler l'oignon et détailler en anneaux. Peler les carottes et couper en rondelles. Peler le céleri, laver et couper en dés. Peler les courgettes et couper en rondelles. Peler les pommes de terre et couper en dés.

2 Dans une marmite, chauffer le beurre, ajouter les légumes et cuire 5 minutes sans cesser de remuer.

Mouiller avec le bouillon et laisser mijoter 30 minutes, jusqu'à ce que les légumes soient *al dente*.

3 Saler et poivrer la soupe. Parsemer de persil au moment de servir.

PARMENTIÈRE À L'ITALIENNE

1 Peler l'oignon et l'ail, et hacher menu. Peler les pommes de terre et le céleri, et couper en morceaux.

2 Dans une marmite, chauffer l'huile, ajouter l'ail, l'oignon et les pommes de terre, et cuire jusqu'à ce que le tout rissole. Ajouter le céleri et la sauge, et faire revenir rapidement. Mouiller avec le bouillon, porter à ébullition et laisser bouillir 20 minutes à feu doux.

3 Inciser les tomates en croix et ébouillanter. Monder et couper en huit. Saler et poivrer la soupe, incorporer les tomates et porter rapidement au point d'ébullition. Parsemer de persil et de parmesan, et servir.

POUR 6 PERSONNES

1 oignon

1 gousse d'ail

3 à 4 de pommes de terre

3 branches de céleri

30 ml (2 c. à s.) d'huile d'olive

5 ml (1 c. à thé) de feuilles de sauge hachées

1 litre (4 t.) de bouillon

250 ml (1 t.) de tomates

sel

poivre

15 ml (1 c. à s.) de persil haché

125 ml (½ t.) de parmesan, râpé

Préparation : 25 minutes + temps de cuisson

CONSEIL

Pour un goût légèrement différent, il est possible de remplacer le céleri en branche par un bulbe de fenouil.

25

HOPPIN' JOHN

POUR 4 PERSONNES

250 ml (1 t.) de haricots
rouges
125 g (¼ lb) de bacon
1 poivron vert
1 gros oignon
250 ml (1 t.) de riz complet
5 ml (1 c. à thé) d'huile
1 pincée de piment
de Cayenne
sel
poivre

Préparation : 20 minutes
+ temps de trempage
+ temps de cuisson

1 Faire tremper les haricots 12 heures, rincer et égoutter. Tailler le bacon en dés. Peler l'oignon et le poivron, et hacher.

2 Dans une marmite, mettre les haricots, le bacon, le poivron et l'oignon, couvrir d'eau et porter à ébullition. Laisser bouillir 2 heures, jusqu'à ce que les haricots soient tendres, en ajoutant un peu d'eau si nécessaire.

3 Cuire le riz selon les indications figurant sur le paquet. Ajouter le riz, l'huile et le piment de Cayenne dans la marmite, saler et poivrer. Mélanger et laisser mijoter à feu doux jusqu'à ce que liquide soit totalement absorbé.

ASTUCE

Pour préparer ce plat à l'improviste, utiliser des haricots en boîte.

SALADE CÉSAR

1 Trier les laitues romaines, laver et essorer. Ciseler les plus grandes feuilles. Retirer la croûte des tranches de pain et détailler en dés.

2 Dans une poêle, chauffer le beurre, ajouter les croûtons et faire revenir jusqu'à ce qu'ils soient dorés. Égoutter sur du papier absorbant, laisser refroidir et réserver.

3 Peler l'ail, concasser et mettre dans un robot de cuisine, ajouter les anchois, l'œuf, le jus de citron, la moutarde et la sauce Worcestershire.

4 Mélanger à la vitesse minimale en ajoutant l'huile en filet jusqu'à obtention d'une sauce homogène. Saler et poivrer.

5 Transférer la salade dans un plat de service, arroser de sauce et servir garni de croûtons et de parmesan en copeaux.

POUR 4 PERSONNES

2 laitues romaines
4 tranches de pain, grillées
30 ml (2 c. à s.) de beurre
1 ou 2 gousses d'ail
6 filets d'anchois
1 œuf
60 ml (4 c. à s.) de jus de citron
5 ml (1 c. à thé) de moutarde
5 ml (1 c. à thé) de sauce Worcestershire
150 ml (⅔ t.) d'huile d'olive
sel et poivre
250 ml (1 t.) de parmesan

Préparation : 20 minutes

FEUILLETÉS D'ASPERGES ET DE DORÉ JAUNE

POUR 4 PERSONNES

250 g (½ lb) de pâte feuilletée surgelée

500 g (1 lb) d'asperges vertes (environ 12 asperges)

sel

1 jaune d'œuf, battu

250 g (½ lb) de doré jaune ou de turbot

75 ml (⅓ t.) de vin blanc sec

1 échalote, hachée

250 ml (1 t.) de beurre, froid et coupé en dés

poivre

15 ml (1 c. à s.) de jus de citron

30 ml (2 c. à s.) de crème à 35 %

1 bouquet de cerfeuil

farine, pour abaisser la pâte

Préparation : 20 minutes + temps de cuisson

1 Faire décongeler la pâte. Préchauffer le four à 220 °C (425 °F). Nettoyer les asperges, peler le tiers inférieur et cuire 8 minutes à l'eau bouillante salée. Égoutter en réservant 75 ml (⅓ t.) de l'eau de cuisson.

2 Sur un plan fariné, abaisser la pâte de sorte qu'elle ait 5 mm d'épaisseur. Découper 4 grands rectangles de même dimension et les badigeonner de jaune d'œuf battu. Cuire au four 5 à 8 minutes, jusqu'à ce qu'ils soient dorés.

3 Nettoyer le poisson, sécher et diviser en quatre. Cuire 4 à 5 minutes à la vapeur. Verser l'eau de cuisson dans une casserole, ajouter le vin et l'échalote, et cuire jusqu'à ce que le tout ait réduit de moitié. Incorporer le beurre.

4 Saler, poivrer et arroser de jus de citron. Arrêter la cuisson et ajouter la crème. Laver le cerfeuil, hacher les feuilles et ajouter dans la casserole.

5 Trancher les rectangles dans l'épaisseur de façon à pouvoir les ouvrir. Garnir chaque fond de pâte de deux asperges surmontées d'un morceau de poisson. Arroser de sauce et recouvrir de l'autre moitié de pâte.

SALADE COBB

POUR 4 PERSONNES

6 tranches de bacon
2 blancs de poulet
5 à 6 feuilles de chou
4 petites laitues
4 radicchios
1 tomate
1 avocat
75 ml (⅓ t.) de féta
2 œufs durs
½ oignon rouge
150 ml (⅔ t.) de maïs en boîte
60 ml (¼ t.) de vinaigre de vin blanc
7 ml (1½ c. à thé) de moutarde de Dijon
5 ml (1 c. à thé) de sucre
sel
poivre
150 ml (⅔ t.) d'huile d'olive
30 ml (2 c. à s.) de persil haché
30 ml (2 c. à s.) de coriandre fraîche hachée

Préparation : 30 minutes + temps de cuisson

1 Faire dorer le bacon à la poêle jusqu'à ce qu'il soit croustillant et égoutter sur du papier absorbant. Nettoyer les blancs de poulet, aplatir et faire revenir 15 minutes dans le gras du bacon resté dans la poêle. Retirer les blancs, laisser refroidir et couper en cubes de 2 cm (1 po). Hacher le bacon.

2 Laver le chou, les laitues et les radicchios, essorer et chemiser un plat de service. Laver la tomate et couper en dés. Peler l'avocat, retirer le noyau et émincer la chair. Couper la féta en dés. Écaler les œufs et couper en quatre. Peler l'oignon et détailler en rondelles. Égoutter le maïs. Mélanger le vinaigre, la moutarde, le sucre et l'huile d'olive, saler et poivrer.

3 Mettre tous les ingrédients de la salade dans le plat, arroser de vinaigrette et remuer délicatement. Servir parsemé de persil et de coriandre.

BÂTONNETS DE MOZZARELLA

1 Casser les œufs dans un bol, battre et délayer avec 50 ml (¼ t.) d'eau. Dans un autre bol, mettre la chapelure, les fines herbes et le sel à l'ail. Dans un troisième bol, mélanger la farine et la fécule de maïs.

2 Égoutter la mozzarella, sécher soigneusement et couper en bâtonnets épais.

3 Chauffer l'huile à 190 °C (375 °F) dans une friteuse ou une grande casserole.

4 Plonger les bâtonnets de mozzarella dans les œufs battus, les passer dans la chapelure et rapidement dans la farine.

5 Plonger les bâtonnets dans l'huile et faire frire 30 secondes, jusqu'à ce qu'ils soient dorés. Égoutter sur du papier absorbant et servir accompagné de la sauce de son choix.

POUR 20 BÂTONNETS

2 œufs
1,25 l (5 t.) de chapelure
5 ml (1 c. à thé) d'origan
5 ml (1 c. à thé) de basilic séchés
15 ml (1 c. à s.) de persil frais haché
2 ml (½ c. à thé) de sel à l'ail
300 ml (1¼ t.) de farine
45 ml (3 c. à s.) de fécule de maïs
3 boules de mozzarella
huile, pour la friture

**Préparation : 15 minutes
+ temps de cuisson**

CROQUETTES DE VIANDE GRATINÉES

1 Retirer la croûte du pain et mettre à tremper dans le lait tiède. Peler et hacher l'ail. Égoutter le pain et presser de façon à exprimer l'excédent de lait. Mélanger la viande, l'ail, l'œuf et le pain, ajouter du paprika et poivrer. Façonner 4 croquettes plates et passer dans la chapelure.

2 Préchauffer le four à 200 °C (400 °F). Dans une poêle, chauffer l'huile, ajouter les croquettes et faire revenir 3 minutes de chaque côté. Retirer de la poêle et transférer dans un plat à gratin.

3 Couper la tomate, la mozzarella et les olives en rondelles. Déposer une rondelle de tomate et de mozzarella sur chaque croquette, parsemer de basilic et garnir d'un filet d'anchois et de rondelles d'olives. Poivrer et cuire au four 15 minutes, jusqu'à ce que le fromage soit légèrement doré. Servir accompagné de sauce tomate et de tranches de pain.

POUR 4 PERSONNES

1 tranche de pain complet
30 ml (2 c. à s.) de lait, tiède
1 gousse d'ail
250 g (½ lb) de bœuf haché
1 œuf
sel
poivre
5 ml (1 c. à thé) de paprika doux
250 ml (1 t.) de chapelure
30 ml (2 c. à s.) d'huile d'olive
1 tomate
250 ml (1 t.) de mozzarella
5-6 olives noires, en garniture
30 ml (2 c. à s.) de basilic frais haché
4 filets d'anchois

Préparation : 20 minutes
+ temps de trempage
+ temps de cuisson

SOUPE AU FROMAGE ET AUX POIREAUX

POUR 4 PERSONNES

2 oignons

2 poireaux

45 ml (3 c. à s.) d'huile

250 g (½ lb) de viandes hachées de diverses sortes

sel

poivre

250 ml (1 t.) de vin blanc

500 ml (2 t.) de bouillon de légumes

250 ml (1 t.) de fromage à la crème aux herbes

Préparation : 20 minutes + temps de cuisson

1 Peler les oignons et couper en rondelles. Peler les poireaux, laver et émincer. Dans une poêle, chauffer l'huile, ajouter les poireaux et les oignons, et faire revenir jusqu'à ce qu'ils deviennent translucides. Ajouter la viande et faire revenir.

2 Saler, poivrer et couvrir. Laisser mijoter 10 minutes à feu doux. Mouiller avec le vin et le bouillon, et porter à ébullition.

3 Ajouter le fromage et remuer jusqu'à ce qu'il ait fondu. Saler, poivrer et servir.

SOUPE ÉPICÉE AUX COQUILLETTES

1 Peler et hacher l'oignon et l'ail. Nettoyer, épépiner et hacher finement le piment.

2 Dans une poêle, chauffer l'huile, ajouter la viande hachée, l'oignon, l'ail et le piment, et faire revenir. Égoutter les haricots rouges et le maïs, et ajouter dans la poêle. Incorporer les tomates et leur jus, et chauffer sans cesse de remuer.

3 Incorporer le concentré de tomate, mouiller avec le bouillon et ajouter les pâtes. Cuire jusqu'à ce que les coquillettes soient épicées, saler et poivrer. Garnir de coriandre et servir.

POUR 4 PERSONNES

1 gousse d'ail

1 oignon

1 piment rouge

30 ml (2 c. à s.) d'huile

450 q (1lb) de viande de porc hachée

625 ml (2½ t.) de haricots rouges

350 ml (1⅓ t.) de maïs

500 ml (2 t.) de tomates concassées

45 ml (3 c. à s.) de concentré de tomate

1 litre (4 t.) de bouillon

1 l (4 t.) de coquillettes

sel

poivre

coriandre, en garniture

Préparation : 20 minutes + temps de cuisson

MOULES

POUR 4 PERSONNES

2 kg (4,5 lb) de moules
2 ou 3 oignons
1 ou 2 carottes
¼ de céleri-rave
½ poireau
½ bouquet de persil
4 baies de genièvre,
écrasées
8 grains de poivre noir
2 feuilles de laurier
sel
500 ml (2 t.) de vin blanc
sec

**Préparation : 25 minutes
+ temps de cuisson**

1 Gratter les moules à l'eau courante et rincer de façon à éliminer le sable. Jeter les coquilles entrouvertes. Peler les oignons et couper en rondelles. Peler les carottes et le céleri, laver et couper en dés. Peler le poireau, nettoyer et émincer grossièrement. Rincer le persil.

2 Dans une marmite, mettre les légumes, ajouter les baies de genièvre, le poivre, le laurier et le vin, et saler. Ajouter les moules et couvrir d'eau.

3 Porter à ébullition et laisser bouillir jusqu'à ce que les coquilles des moules soient ouvertes. Jeter les moules restées fermées. Retirer du feu et laisser reposer 5 minutes. Retirer les feuilles de laurier. Répartir les moules dans des assiettes creuses, arroser de bouillon et servir accompagné de pain beurré.

ASTUCE

Un soupçon de crème sure rendra le jus de cuisson plus onctueux.

OMELETTES ROULÉES AU SAUMON

1 Battre les œufs, la farine, le sel et le lait jusqu'à obtention d'une pâte lisse et laisser reposer 30 minutes. Trier, les épinards et laver. Blanchir, rafraîchir à l'eau courante et bien égoutter.

2 Dans une poêle, chauffer le beurre clarifié et verser la pâte de façon à obtenir 16 petites galettes. Réserver au chaud. Couper les tranches de saumon en 16 morceaux.

3 Napper chaque crêpe de crème sure, garnir d'épinards et ajouter un morceau de saumon. Rouler la crêpe, couper en deux en biais et piquer un pique à cocktail dans chaque moitié.

POUR 8 PERSONNES

3 œufs

175 ml (¾ t.) de farine tout usage

1 pincée de sel

175 ml (¾ t.) de lait

2 l (8 t.) d'épinards

beurre clarifié

450 g (1 lb) de tranches de saumon fumé

150 ml (⅔ t.) de crème sure

**Préparation : 20 minutes
+ temps de repos
+ temps de cuisson**

37

NIGIRI-SUSHIS
AU THON ET AU CAVIAR

1 Rincer le riz et cuire 10 minutes dans 150 ml (⅔ t.) d'eau bouillante. Retirer du feu, couvrir et laisser gonfler 15 minutes. Porter à ébullition le vinaigre de riz, le sucre et le sel, laisser refroidir et remuer.

2 Délayer le wasabi dans 30 ml (2 c. à soupe) d'eau et le mirin. Les mains enduites d'eau vinaigrée, façonner 12 boulettes de riz ovales avec l'équivalent de 15 ml (1 c. à soupe).

3 Couper en biais 6 tranches dans le filet de poisson et napper de mélange à base de wasabi. Poser une boulette de riz sur chaque tranche et presser le riz de sorte qu'il adhère. Retourner et façonner le sushi entre les doigts.

4 Faire griller la feuille de nori à sec, découper en bandes de 3 à 4 cm (1 à 1,5 po) de large et enduire du mélange à base de wasabi restant. Envelopper les boulettes de riz non utilisées d'une bande de nori en veillant à ce qu'elle dépasse dans la hauteur.

5 Tasser légèrement le riz au centre de la feuille de nori et garnir de caviar ou d'œufs d'oursin. Servir les nigiri-sushis deux par deux accompagné de sauce soya.

POUR 4 PERSONNES

125 ml (½ t.) de riz pour sushis
15 ml (1 c. à s.) de vinaigre de riz
15 ml (1 c. à s.) de sucre
2 ml (½ c. à thé) de sel
10 ml (2 c. à thé) de wasabi en poudre
15 ml (1 c. à s.) de vin de riz japonais (mirin)
eau vinaigrée
50 g (2 onces) de filet de poisson frais, thon ou maquereau par exemple
½ feuille de nori
60 ml (¼ t.) de caviar de truite, de saumon ou d'œufs d'oursins
sauce soya, en accompagnement

**Préparation : 25 minutes
+ temps de cuisson
+ temps de refroidissement**

SAUMON FARCI

12 feuilles de salade
150 ml (⅔ t.) de crème
à 35 %
15 ml (1 c. à s.) de jus
de citron
30 ml (2 c. à s.) de raifort
125 ml (½ t.) de chair de
crabe
sel
poivre
8 tranches de saumon fumé
brins d'aneth

Préparation : 20 minutes

1 Laver la salade, essuyer et répartir dans 4 assiettes.

2 Fouetter la crème, ajouter le jus de citron et le raifort, et mélanger.

3 Incorporer délicatement la chair de crabe au mélange précédent, saler et poivrer.

4 Répartir la préparation obtenue sur les tranches de saumon, rouler et fixer à l'aide de piques à cocktail. Répartir dans les assiettes et garnir d'aneth.

PLATEAU DE FRUITS DE MER EN BAIN DE GINGEMBRE

1 Couper le gingembre en morceaux sans peler. Porter à ébullition 3 litres (12 t.) d'eau, ajouter la sauce de poisson et le gingembre, et cuire 10 minutes. Filtrer le tout. Rincer la coriandre, essorer et effeuiller.

2 Laver le poireau, la carotte et la courgette, peler et émincer. Couper la lime en deux. Nettoyer les champignons shiitake et détailler en fines lamelles.

3 Laver et essuyer les crevettes, les langoustines, les gambas et le filet de poisson.

4 Dans un wok, mettre les fruits de mer, le poisson et les légumes, ajouter la décoction de gingembre et porter à ébullition. Laisser mijoter 5 minutes à feu doux, parsemer de coriandre et arroser de sauce au piment.

POUR 4 PERSONNES

75 ml (⅓ t.) de sauce de poisson

2 gros morceaux de gingembre

1 bouquet de coriandre

1 courgette

1 gros poireau

1 carotte

1 lime

3 à 4 champignons shiitake

250 ml (1 t.) de crevettes

12 langoustines

4 gambas

450 g (lb) de filet de poisson à chair blanche

1 trait de sauce au piment

Préparation : 25 minutes + temps de cuisson

BOUILLABAISSE

POUR 4 PERSONNES

1 kg (2 lb) de poissons à chair blanche, vidés (rascasse, saint-pierre, grondin, baudroie ou bar, par exemple)

1 oignon

4 pommes de terre

4 tomates mûres

½ bulbe de fenouil

1 bouquet de persil

60 ml (4 c. à s.) d'huile d'olive

4 feuilles de laurier

herbes de Provence

sel

poivre du moulin

quelques pistils de safran

5 gousses d'ail

500 ml (2 t.) de vin blanc sec

1 piment rouge séché

1 tranche de pain blanc sans la croûte

30 ml (2 c. à s.) d'huile d'olive pressée à froid

8 tranches de baguette

Préparation : 25 minutes + temps de cuisson

1 Couper les poissons en morceaux. Peler l'oignon et couper en dés. Peler les pommes de terre, rincer et couper en rondelles à l'aide d'une mandoline. Couper les tomates en dés. Peler le fenouil, laver et émincer. Hacher le persil.

2 Dans une poêle, chauffer l'huile, ajouter l'oignon et faire revenir jusqu'à ce qu'il soit translucide. Ajouter les légumes et faire revenir rapidement. Ajouter le laurier, le fenouil, le persil, le safran et les herbes de Provence, saler et poivrer. Peler l'ail, hacher 4 gousses et les ajouter dans la poêle. Laisser mijoter 10 minutes à feu doux.

3 Porter à ébullition le vin avec 500 ml (2 t.) d'eau. Ajouter les poissons dans la poêle et laisser mijoter 3 minutes. Mouiller avec le vin bouillant, retirer du feu et laisser reposer 15 à 20 minutes. Retirer les feuilles de laurier.

4 Hacher l'ail restant et le piment, et mélanger. Faire tremper le pain dans de l'eau, égoutter et presser de façon à exprimer l'excédent d'eau. Incorporer la mie au mélange à base de piment et ajouter l'huile en filet mince. Tartiner les tranches de baguette avec le mélange à base de piment, disposer dans des assiettes creuses et ajouter le bouillon.

KIBBEH

250 ml (1 t.) de boulghour

2 aubergines moyennes

2 gousses d'ail

1 piment rouge

5 ml (1 c. à thé) de fécule de maïs

1 gros oignon

2 ml (½ c. à thé) de piment en poudre

2 ml (½ c. à thé) de coriandre en poudre

sel

huile de canola, pour la friture

1 bouquet de persil

Préparation : 20 minutes
+ temps de trempage
+ temps de cuisson

1 Dans une terrine, mettre le boulghour, couvrir d'eau et laisser gonfler 20 minutes. Laver les aubergines, peler et couper en cubes. Peler l'ail et hacher grossièrement. Couper le piment dans la longueur, épépiner et retirer le pédoncule.

2 Égoutter le boulghour et transférer dans une grande terrine. Mélanger les légumes et ajouter au boulghour. Délayer la fécule de maïs dans un peu d'eau et incorporer au mélange. Peler l'oignon, hacher et ajouter au mélange. Incorporer les épices. Malaxer la pâte, façonner des boulettes et aplatir légèrement.

3 Dans une poêle, chauffer l'huile, ajouter les kibbeh et faire rissoler à feu moyen. Égoutter sur du papier absorbant. Laver le persil, hacher et parsemer les kibbeh.

TREMPETTE DE POMMES DE TERRE ÉPICÉE

1 Laver les pommes de terre et cuire 10 minutes avec la peau dans le bouillon de légumes. Égoutter, cuire à la vapeur et couper en rondelles épaisses.

2 Préchauffer le four à 200 °C (400 °F). Huiler une plaque et répartir les pommes de terre dessus. Huiler les pommes de terre et parsemer de graines de tournesol, de graines de sésame, de gros sel et de grains de coriandre. Saler et cuire au four 20 minutes.

3 Laver le basilic, sécher et ciseler. Peler les oignons verts, laver et couper en rondelles. Mélanger les oignons verts, le basilic et le fromage frais, incorporer le xérès, saler et poivrer.

4 Répartir les pommes de terre dans des assiettes et servir accompagnées de sauce.

POUR 4 PERSONNES

1 kg (4 lb) de grosses pommes de terre

800 ml (3¼ t.) de bouillon de légumes

125 ml (½ t.) d'huile de noix

250 ml (1 t.) de graines de tournesol

125 ml (½ t.) de graines de sésame

75 ml (⅓ t.) de gros sel

45 ml (3 c. à s.) de grains de coriandre

1 bouquet de basilic

1 botte d'oignons verts

375 ml (1½ t.) de fromage de chèvre frais

45 ml (3 c. à s.) de xérès

sel

poivre

Préparation : 15 minutes + temps de cuisson

ASTUCE

Parsemer les pommes de terre de cumin et de paprika en poudre.

45

CRÈME DE POISSON

1 Couper le filet de poisson en dés. Peler l'oignon et l'ail, et hacher. Peler les pommes de terre et émincer.

2 Dans une cocotte, faire fondre le beurre, ajouter l'ail et l'oignon, et faire revenir. Ajouter les pommes de terre et faire rapidement revenir. Mouiller avec 125 ml (½ t.) d'eau et cuire 10 minutes à feu doux.

3 Ajouter les tomates, le bouquet garni, les épices et les dés de poisson, mouiller avec le fumet de poisson et cuire encore 8 minutes.

4 Incorporer la crème, saler et poivrer. Retirer les feuilles de laurier, garnir de brins d'aneth et servir accompagné de tranches de pain grillées.

POUR 4 PERSONNES

450 g (1lb) de filet de poisson à chair blanche
1 oignon
2 gousses d'ail
4 pommes de terre
45 ml (3 c. à s.) de beurre
300 ml (1¼ t.) de tomates en boîte
½ bouquet de persil frais, haché
2 feuilles de laurier
sel
poivre
1 pincée de piment de Cayenne
500 ml (2 t.) de fumet de poisson
125 ml (½ t.) de crème à 35 %
brins d'aneth, en garniture

**Préparation : 20 minutes
+ temps de cuisson**

CROQUETTES DE VIANDE AU FROMAGE

POUR 4 PERSONNES

1 petit pain de la veille
1 oignon
1 gousse d'ail
½ bouquet de cerfeuil
15 ml (1 c. à s.) d'huile
500 g (1 lb) de bœuf haché
2 œufs
30 ml (2 c. à s.) de coulis
de tomate
sel et poivre
125 ml (½ t.) de fromage
frais aux fines herbes
250 ml (1 t.) de chapelure
250 ml (1 t.) de beurre
clarifié

Préparation : 25 minutes
+ temps de trempage
+ temps de cuisson

1 Faire tremper le pain dans de l'eau. Peler l'oignon et l'ail, et hacher. Laver le cerfeuil, essorer et hacher.

2 Dans une poêle, chauffer l'huile, ajouter l'ail et l'oignon, et faire revenir. Égoutter le pain et presser de façon à exprimer l'excédent d'eau. Mélanger la mie de pain, la viande hachée, l'oignon, l'ail, les œufs et le coulis de tomate. Saler et poivrer.

3 Façonner des boulettes, farcir chacune de ½ c. à thé de fromage frais et rouler les croquettes dans la chapelure. Dans une sauteuse, chauffer le beurre clarifié, ajouter les croquettes et faire frire jusqu'à ce qu'elles soient bien dorées. Égoutter sur du papier absorbant et servir chaud ou froid accompagné de sauce.

AUMÔNIÈRES DE WON-TON

1 Peler les échalotes et hacher. Laver les piments, épépiner et hacher. Gratter les champignons, retirer les queues et émincer les chapeaux. Mélanger la viande hachée, les champignons, les échalotes et un quart des piments. Délayer la fécule de maïs dans la moitié de l'œuf battu, et incorporer à la farce. Ajouter la sauce soya et le vin de riz, saler et poivrer.

2 Étaler les feuilles de pâte à won-ton et déposer 1 c. à thé de farce au centre de chacune. Enduire les bords de la pâte avec le reste de l'œuf battu, relever les coins de la feuille et les souder en aumônières. Cuire 15 minutes au cuit-vapeur.

3 Peler l'ail, hacher et ajouter les piments restants, le jus de lime, la sauce d'huître et la coriandre. Servir les aumônières avec la sauce.

POUR 4 PERSONNES

2 échalotes

4 piments verts

2 champignons shiitake

150 g (5 onces) de bœuf haché

5 ml (1 c. à thé) de fécule de maïs

1 œuf, battu

10 ml (2 c. à thé) de sauce soya

10 ml (2 c. à thé) de vin de riz

sel

poivre

12 feuilles de pâte à won-ton

2 gousses d'ail

jus de ½ lime

15 ml (1 c. à s.) de sauce d'huître

30 ml (2 c. à s.) de coriandre fraîche hachée

Préparation : 30 minutes + temps de cuisson

49

SALADE D'AVOCATS FRUITÉE

POUR 4 PERSONNES

125 ml (½ t.) de mûres

3 avocats

30 ml (2 c. à s.) de jus
de citron

8 champignons de Paris

30 ml (2 c. à s.) d'huile
de canola

sel et poivre

poivre au citron

125 ml (½ t.) de tomates
cerises

60 ml (¼ t.) de jus
de raisin

45 ml (3 c. à s.) de jus
de banane

45 ml (3 c. à s.) de jus
de grenade

3 kiwis

90 ml (6 c. à s.) d'huile
de pépins de raisin

125 ml (½ t.) de bouillon
de légumes

**Préparation : 25 minutes
+ temps de cuisson**

1 Laver les mûres et sécher. Couper les avocats en deux, dénoyauter et peler. Détailler la chair en fines lamelles et arroser de jus de citron.

2 Nettoyer les champignons, sécher et couper en deux. Dans une poêle, chauffer l'huile de canola, ajouter les champignons et faire revenir. Saler et incorporer du poivre au citron.

3 Peler les tomates, laver et couper en deux. Ajouter aux champignons et cuire 3 minutes. Retirer de la poêle, laisser refroidir et transférer dans un plat de service.

4 Ajouter délicatement les mûres et les lamelles d'avocat dans le plat de service. Mélanger les jus de fruit, 2 kiwis hachés, l'huile de pépins de raisin et le bouillon de légumes, saler et poivrer.

5 Arroser la salade du mélange obtenu et garnir de rondelles de kiwis.

ASTUCE

**Cette salade raffinée se marie à merveille avec des tranches
de baguette croustillantes tartinées de fromage de brebis,
d'un soupçon de miel et gratinées au four.**

SOUPE GLACÉE AUX CONCOMBRES

POUR 4 PERSONNES

2 concombres
2 avocats
3 oignons
2 gousses d'ail
1 litre (4 t.) de bouillon
de légumes
15 ml (1 c. à s.) de jus
de citron
250 ml (1 t.) de yogourt
250 ml (1 t.) de babeurre
sel
piment de Cayenne
cumin blanc en poudre
1 botte de radis

**Préparation : 25 minutes
+ temps de refroidissement**

1 Laver les concombres, peler et couper en deux dans la longueur. Retirer les pépins et couper la chair en morceaux. Couper les avocats en deux, retirer le noyau et prélever la chair à l'aide d'une cuillère.

2 Peler les oignons et couper en dés. Peler l'ail et fendre les gousses en deux. Mettre les avocats, les concombres, les oignons et l'ail dans un robot de cuisine, ajouter le bouillon de légumes et mixer le tout.

3 Incorporer le jus de citron, le yogourt et le babeurre, saler et poivrer. Ajouter une pincée de cumin blanc et mettre 1 heure au réfrigérateur.

4 Peler les radis, laver et couper en rondelles. Répartir la soupe dans des assiettes et garnir de rondelles de radis.

POTAGE DE CITROUILLE AUX QUENELLES

1 Peler la citrouille, épépiner et couper la chair en cubes. Peler l'ail et les oignons, et hacher.

2 Dans une cocotte, chauffer l'huile, ajouter les oignons, l'ail et la citrouille, et faire revenir rapidement. Mouiller avec le vin et le bouillon, et laisser mijoter 30 minutes à feu doux.

3 Mélanger le yogourt, le jaune d'œuf, la fécule de maïs, le piment de Cayenne et du sel jusqu'à

obtention d'une consistance homogène. Prélever des petites quenelles dans la préparation obtenue à l'aide d'une cuillère et pocher 12 minutes dans de l'eau bouillante salée.

4 Transférer le contenu de la cocotte dans un mélangeur et réduire le tout. Saler, poivrer et ajouter la crème et de la noix muscade. Réchauffer et faire éventuellement réduire. Garnir le potage avec les quenelles, arroser de quelques gouttes d'huile et servir bien chaud.

POUR 4 PERSONNES

1,5 l (5 tasses) de citrouille

2 oignons

2 gousses d'ail

30 ml (2 c. à s.) d'huile d'olive

75 ml (⅓ t.) de vin blanc sec

750 ml (3 t.) de bouillon de légumes

250 ml (1 t.) de yogourt

1 jaune d'œuf

15 ml (1 c. à s.) de fécule de maïs

2 ml (½ c. à thé) de poivre de Cayenne

sel

poivre

noix muscade en poudre

125 ml (½ t.) de crème à 35 %

30 ml (2 c. à s.) d'huile d'olive

Préparation : 25 minutes + temps de cuisson

ASPERGES ET TOMATES CERISES

1 Laver les asperges, retirer les tiers inférieurs et diviser en tronçons de 3 cm (1 po). Couper les tomates cerises en deux. Laver l'aneth, sécher et hacher finement.

2 Blanchir les asperges 6 minutes dans de l'eau bouillante salée. Égoutter, transférer dans une terrine et ajouter les tomates cerises.

3 Mélanger l'huile et le vinaigre, saler et poivrer. Verser la vinaigrette dans la terrine, ajouter l'aneth et remuer. Laver et sécher les feuilles de salade, garnir des assiettes et répartir les asperges et les tomates sur les feuilles de salade. Servir immédiatement.

POUR 4 PERSONNES

24 asperges

250 ml (1 t.) de tomates cerises

1 bouquet d'aneth

45 ml (3 c. à s.) d'huile d'olive

45 ml (3 c. à s.) de vinaigre de vin blanc

sel

poivre

4 grosses feuilles de salade

Préparation : 20 minutes + temps de cuisson

POISSONS ET FRUITS DE MER

Poissons et fruits de mer semblent avoir été créés pour la cuisinière pressée : préparés nature, il ne leur faut que quelques minutes pour être à point. Les poissons de rivière, de lac ou de mer sont d'autant plus appréciés qu'ils sont réputés excellents pour la santé. Goûtez à nos recettes de morue, de langoustine ou de sébaste, et laissez-vous séduire par leur diversité !

STEAKS DE THON À L'AÏOLI

1 Peler l'ail, hacher menu et mélanger avec le jus de citron. Incorporer le mélange aux jaunes d'œufs en battant énergiquement à l'aide d'un fouet jusqu'à obtention d'une consistance mousseuse et épaisse.

2 Incorporer l'huile en filet très progressivement sans cesser de battre jusqu'à obtention d'une mayonnaise. Saler et poivrer.

3 Essuyer les darnes de thon, saler et poivrer. Badigeonner d'huile à l'aide d'un pinceau et saisir 5 minutes de chaque côté sur un gril en fonte brûlant, sans cuire à cœur. Accompagner les steaks de thon d'aïoli et de légumes.

POUR 4 PERSONNES

4 gousses d'ail

jus de 2 citrons

2 jaunes d'œufs

500 ml (2 t.) d'huile d'olive

sel

poivre

4 darnes de thon de 250 g (½ lb)

30 ml (2 c. à s.) d'huile

Préparation : 20 minutes + temps de cuisson

BROCHETTES DE CREVETTES

POUR 8 PERSONNES

24 grosses crevettes,
décortiquées et parées
15 ml (1 c. à s.) de baies
de genièvre
15 ml (1 c. à s.) de miel
liquide
90 ml (6 c. à s.) de vin
blanc sec
15 ml (1 c. à s.) de vinaigre
de vin blanc
45 ml (3 c. à s.) de gin
poivre blanc
90 ml (6 c. à s.) de beurre
8 quartiers de citron,
en garniture

**Préparation : 20 minutes
+ temps de macération
+ temps de cuisson**

1 Piquer trois crevettes sur chaque brochette et mettre les brochettes dans un plat. Mélanger le miel, le vin, le vinaigre, le gin et du poivre blanc. Écraser les baies de genièvre avec le plat d'une lame de couteau et ajouter au mélange.

2 Arroser les brochettes du mélange obtenu et laisser mariner 30 minutes en retournant les brochettes une fois.

3 Égoutter un peu les brochettes. Dans une poêle, faire fondre le beurre, ajouter les brochettes et cuire 5 minutes de chaque côté. Servir garni de quartiers de citron.

MORUE SUR SON LIT DE CHOU BRAISÉ

1 Couper les filets de poisson en 8 portions, saler et poivrer. Dans une casserole, chauffer le fumet, ajouter le poisson et cuire 8 minutes à feu doux.

2 Nettoyer le chou et râper. Dans une cocotte, chauffer le beurre, ajouter le chou et faire revenir 5 minutes. Mouiller avec le bouillon et le vin, et cuire 15 minutes. Ajouter du sel, du poivre et du cumin.

3 Incorporer la tomate au chou. Faire griller le bacon jusqu'à ce qu'il soit croustillant. Garnir les assiettes de chou et ajouter le poisson. Rouler les tranches de bacon, fixer avec un brin de ciboulette et en garnir le poisson.

POUR 8 PERSONNES

1 kg (2 lb) de filets de morue

sel

poivre

1 l (4 t.) de fumet de poisson

1 petit chou blanc

75 ml (⅓ t.) de beurre

125 ml (½ t.) de bouillon de légumes

125 ml (½ t.) de vin blanc

5 ml (1 c. à thé) de cumin en poudre

1 tomate, coupée en quartiers

8 tranches de bacon

1 botte de ciboulette

**Préparation : 25 minutes
+ temps de cuisson**

ASTUCE

Le fait de réchauffer les assiettes à l'avance évite que ce plat, qui se déguste très chaud, se refroidisse.

61

PAËLLA MARINIÈRE

POUR 4 PERSONNES

4 gousses d'ail
jus de ½ citron
45 ml (3 c. à s.) d'huile
d'olive
500 g (1 lb) de filets de
sébaste
250 g (½ lb) de crevettes
surgelées
1 gros oignon
1 gros poivron rouge
250 ml (1 t.) de riz long
grain
500 ml (2 t.) de bouillon
de légumes
3 pistils de safran
250 ml (1 t.) de petits pois
surgelés
3 rondelles de citron,
en garniture

**Préparation : 20 minutes
+ temps de macération
+ temps de cuisson**

1 Peler l'ail et hacher. Rincer le poisson et bien sécher. Mélanger le jus de citron et 30 ml (2 c. à soupe) d'huile d'olive, ajouter la moitié de l'ail et le poisson, et laisser mariner au réfrigérateur 30 minutes.

2 Décongeler les crevettes, rincer et égoutter. Peler l'oignon et hacher. Épépiner le poivron et couper en lanières.

3 Dans un plat à paëlla ou une grande poêle, chauffer l'huile restante, ajouter l'ail, l'oignon et le poivron, et faire revenir 5 minutes.

4 Ajouter le riz et cuire sans cesser de remuer jusqu'à ce qu'il devienne translucide. Mouiller avec le bouillon, ajouter le safran et couvrir. Laisser mijoter 10 minutes à feu doux.

5 Retirer le poisson de la marinade, le poser sur le riz et cuire 5 minutes. Ajouter les crevettes et les petits pois, et cuire encore 4 minutes. Garnir de rondelles de citron et servir directement dans le plat de cuisson.

GRATIN DE FRUITS DE MER

POUR 8 PERSONNES

450 g (1 lb) de fruits de mer surgelés

500 ml (2 t.) de court-bouillon

500 ml (2 t.) de crème à 35 %

125 ml (½ t.) de chair de crabe en boîte

1 botte d'oignons verts

1 bouquet de persil

175 ml (¾ t.) de farine

150 ml (⅔ t.) de beurre

45 ml (3 c. à s.) de sauce Worcestershire

sel

15 ml (1 c. à s.) de Tabasco

250 ml (1 t.) de fromage râpé

Préparation : 20 minutes + temps de cuisson

1 Dans une poêle, cuire les fruits de mer dans le court-bouillon. Retirer de la poêle et réserver au chaud. Ajouter la crème au court-bouillon, porter à ébullition et laisser bouillir 5 minutes. Égoutter la chair de crabe.

2 Détailler les oignons verts et hacher le persil. Dans une casserole, faire fondre le beurre, ajouter la farine et faire revenir jusqu'à coloration brune. Ajouter le persil, les oignons verts et le mélange à base de court-bouillon sans cesser de remuer.

3 Ajouter la sauce Worcestershire, du sel et le Tabasco, laisser mijoter 15 minutes et incorporer la chair de crabe.

4 Répartir les fruits de mer dans un plat à gratin, garnir de sauce et de fromage et cuire au four préchauffé, à 230 °C (450 °F), 10 minutes, jusqu'à ce que le gratin soit doré.

5 Servir très chaud avec des tranches de baguette grillées.

FILETS DE CISCO AU FOUR

1 Laver les filets de poisson, essuyer et arroser de jus de citron. Réserver.

2 Préchauffer le four à 180 °C (350 °F). Peler les carottes et couper en rondelles. Peler le céleri, laver et émincer.

3 Dans une poêle, faire fondre 15 ml (1 c. à soupe) de beurre, ajouter les carottes et le céleri, et cuire 3 minutes. Saler et poivrer.

4 Graisser un plat à gratin, répartir les légumes et ajouter les filets de poisson. Faire fondre le beurre restant et arroser le poisson.

5 Cuire au four 5 minutes, napper de crème et cuire encore 15 minutes. Décorer de brins d'aneth et servir accompagné de pommes de terre ou de riz.

POUR 4 PERSONNES

750 g (1½ lb) de filets de cisco sans peau ni arête

jus de 1 citron

2 carottes

1 branche de céleri

30 ml (2 c. à s.) de beurre

sel

poivre

175 ml (¾ t.) de crème à 35 %

brins d'aneth, en garniture

**Préparation : 20 minutes
+ temps de cuisson**

CREVETTES GRILLÉES

1 Décortiquer les crevettes et retirer l'intestin. Faire fondre le beurre, enduire les crevettes et saupoudrer d'une partie du mélange d'épices.

2 Peler l'ail et les oignons, couper les oignons en quatre et les gousses d'ail en deux. Couper le bacon en lanières.

3 Piquer les crevettes sur les brochettes en alternant avec le bacon, les oignons et l'ail.

4 Passer les brochettes au gril 8 à 10 minutes des deux côtés.

5 Mélanger le vinaigre, l'huile, le bouillon et le mélange d'épices restant, et arroser les crevettes avec le mélange obtenu en cours de cuisson. Servir accompagné de chutney à la mangue.

POUR 4 PERSONNES

16 grosses crevettes

45 ml (3 c. à s.)

10 ml (2 c. à thé) de mélange d'épices cajun (gingembre, sel, piment de Cayenne, ail et coriandre)

4 oignons

4 gousses d'ail

125 g (¼ lb) de bacon

15 ml (1 c. à s.) d'huile d'olive

30 ml (2 c. à s.) de vinaigre balsamique

15 ml (1 c. à s.) de bouillon de légumes

sel

poivre

Préparation : 10 minutes + temps de cuisson

67

SAUMON SUR LIT DE COURGETTES

POUR 8 PERSONNES

1 kg (2 lb) de filets de saumon

30 ml (2 c. à s.) de jus de citron

sel

poivre

125 ml (½ t.) d'huile d'olive

90 ml (6 c. à s.) de beurre

30 ml (2 c. à s.) de poivre en grains

4 courgettes

60 ml (4 c. à s.) d'huile aux herbes

Préparation : 25 minutes + temps de cuisson

1 Préchauffer le four à 160 °C (350 °F). Séparer le saumon en 8 portions et arroser de jus de citron. Saler et poivrer.

2 Dans une poêle, chauffer l'huile d'olive et 60 ml (4 c. à soupe) de beurre, ajouter le saumon et cuire rapidement jusqu'à ce qu'il soit saisi. Transférer dans un plat à rôti, parsemer de grains de poivre écrasés avec le plat d'une lame de couteau et cuire au four 8 minutes.

3 Peler les courgettes et émincer. Dans une poêle, chauffer le beurre restant, ajouter les courgettes et faire revenir jusqu'à ce qu'elles soient *al dente*. Saler et poivrer. Répartir dans des assiettes, arroser d'huile aux herbes et garnir de saumon.

TRUITES GRILLÉES

1 Sécher soigneusement l'extérieur et l'intérieur des truites, frotter de sel et arroser de la moitié du jus de citron. Farcir l'intérieur de romarin. Envelopper les poissons de tranches de bacon et fixer éventuellement à l'aide des piques à cocktail.

2 Brosser les champignons. Mélanger l'huile d'olive, le thym, le jus de citron restant et du sel, et enduire les champignons du mélange obtenu.

3 Placer les truites sur une plaque et passer au gril 5 minutes de chaque côté, jusqu'à ce que le bacon soit croustillant. Répéter l'opération avec les champignons. Disposer les poissons et les champignons sur un plat de service et saupoudrer de paprika.

POUR 4 PERSONNES

4 truites, vidées et écaillées

sel

jus de 1 citron

4 brins de romarin

12 tranches de bacon

6 ou 8 gros champignons de Paris

30 ml (2 c. à s.) d'huile d'olive

2 ml (½ c. à thé) de thym séché

5 ml (1 c. à thé) de paprika doux

Préparation : 20 minutes + temps de cuisson

ASTUCE

La fraîcheur d'un poisson se reconnaît à ses ouïes rouges et ses yeux brillants ainsi qu'à son odeur, qui doit être fraîchement iodée.

MORUE EN AUMÔNIÈRES DE BANANIER

POUR 4 PERSONNES

2 limes

2 brins de basilic thaï

75 ml (⅓ t.) de crème de noix de coco

5 ou 10 ml (1 ou 2 c. à thé) de pâte de curry rouge

5 ou 10 ml (1 ou 2 c. à thé) de sauce de poisson

5 ml (1 c. à thé) de sucre brun

1 feuille de bananier

1 pincée de pâte de piment rouge ou vert à l'huile

500 g (l lb) de filets de morue

Préparation : 15 minutes + temps de cuisson

1 Préchauffer le four à 180 °C (350 °F). Laver la lime et le basilic, essorer et effeuiller. Ciseler le tout et réserver.

2 Dans un bol, mélanger la crème de noix de coco, la pâte de curry, la sauce de poisson et le sucre, et battre énergiquement jusqu'à ce que le sucre ait fondu.

3 Couper éventuellement la feuille de bananier en deux dans la longueur. Retirer la nervure centrale et couper la feuille en 4 grands morceaux de dimensions égales (environ 30 x 35 cm). Dans une poêle, chauffer délicatement les morceaux de feuilles à sec jusqu'à ce qu'ils prennent un aspect cireux.

4 Napper les feuilles d'un peu de pâte de piment. Laver les filets de poisson et sécher. Séparer en 4 portions et enduire de marinade.

5 Poser un morceau de poisson sur chaque feuille et parsemer de feuilles de basilic. Relever le bord des feuilles de façon à obtenir un paquet serré. Cuire au four 20 minutes et servir accompagné de riz.

CONSEIL

Les feuilles de bananier, la limette et le basilic thaï sont commercialisés dans les boutiques asiatiques spécialisées.

TRUITES AUX POIREAUX

1 Peler les oignons et hacher. Peler les poireaux, laver et couper en rondelles. Sécher les filets de truite et saler.

2 Dans une poêle, faire fondre 30 ml (2 c. à soupe) de beurre, ajouter les oignons et les poireaux, et faire revenir. Mouiller avec le vin et le fumet et ajouter l'origan, le thym et les épices.

3 Porter le tout à ébullition, ajouter les filets de poisson et cuire 10 minutes à feu doux. Retirer le poisson et réserver au chaud.

4 Chauffer jusqu'à ce que la préparation réduise de moitié, incorporer la crème et laisser encore réduire. Répartir les filets de truite dans des assiettes et napper de sauce. Servir accompagné d'un mélange de riz et de riz sauvage.

POUR 4 PERSONNES

2 oignons
2 poireaux
12 filets de truites
sel et 2 ml (½ c. à thé) de poivre
75 ml (⅓ t.) de beurre
250 ml (1 t.) de vin blanc
250 ml (1 t.) de fumet de poisson
1 ml (¼ c. à thé) d'origan
1 ml (¼ c. à thé) de thym
2 ml (½ c. à thé) d'ail en poudre
2 ml (½ c. à thé) de piment de Cayenne
2 ml (½ c. à thé) de paprika
250 ml (1 t.) de crème à 35 %

**Préparation : 20 minutes
+ temps de cuisson**

CROQUETTES DE POISSON AUX HERBES

POUR 4 PERSONNES

2 à 3 de pommes de terre
sel
150 g (5 onces) de filets de poisson frais
poivre
150 g (5 onces) de filets de poisson fumé
30 ml (2 c. à s.) de persil haché
45 ml (3 c. à s.) d'aneth
45 ml (3 c. à s.) de mayonnaise
Tabasco
chapelure
75 ml (¼ t.) de beurre
30 ml (2 c. à s.) de crème à 35 %
10 ml (2 c. à thé) de câpres hachées
jus de ¼ de citron
1 pincée de sucre

**Préparation : 25 minutes
+ temps de cuisson**

1 Préchauffer le four à 200 °C (400 °F). Peler les pommes de terre, laver et couper en cubes. Cuire à l'eau salée, égoutter et réserver.

2 Saler et poivrer le poisson frais, envelopper de papier d'aluminium et cuire au four 12 à 15 minutes. Prélever le jus de cuisson des papillotes, L'incorporer aux pommes de terre et réduire en purée épaisse.

3 Retirer la peau et les arêtes du poisson fumé, ajouter aux pommes de terre et bien mélanger le tout. Émietter le poisson cuit et incorporer à la purée. Ajouter la moitié des herbes, 15 ml (1 c. à soupe) de mayonnaise et du Tabasco, saler et poivrer.

Façonner 8 croquettes, passer dans la chapelure et presser dans la paume des mains.

4 Chemiser une plaque de papier parchemin et enduire avec 15 ml (1 c. à soupe) de beurre. Faire fondre le beurre restant et badigeonner les croquettes. Répartir sur la plaque et cuire 20 minutes au four préchauffé à 220 °C (425 °F) jusqu'à ce qu'elles soient dorées et croustillantes.

5 Mélanger les herbes restantes, la crème, la mayonnaise restante et les câpres. Ajouter le jus de citron et le sucre, saler et poivrer. Servir les croquettes nappées de sauce aux herbes.

GRATIN DE HARENG
ET POMMES DE TERRE À LA CIBOULETTE

1 Préchauffer le four à 180 °C (350 °F). Peler les pommes de terre, laver et couper en fines rondelles. Détailler les filets de hareng en dés. Beurrer un plat à gratin et ajouter les pommes de terre en alternant avec des couches de poisson. Terminer par une couche de pommes de terre.

2 Battre les jaunes d'œufs avec la crème à 15 %, poivrer légèrement et napper les pommes de terre du mélange obtenu. Répartir le beurre restant et cuire au four 1 heure.

3 Laver les herbes, essorer et hacher finement. Mélanger la crème à 35 % et la crème sure, saler et poivrer. Incorporer les herbes et laisser reposer quelques minutes. Servir le gratin brûlant accompagné de sauce.

POUR 4 PERSONNES

1 kg (2 lb) de pommes de terre
4 doubles filets de hareng
50 ml (1 c. à s.)
6 jaunes d'œufs
500 ml (2 t.) de crème à 15 %
poivre
1 bouquet de ciboulette
1 bouquet de persil
250 ml (1 t.) de crème à 35 %
250 ml (1 t.) de crème sure
sel

Préparation : 25 minutes + temps de cuisson

BAR À L'ORANGE

POUR 4 PERSONNES

2 bars, vidés et écaillés

45 ml (3 c. à s.) d'huile d'olive

sel

poivre

½ orange non traitée

2 citrons non traités

½ bouquet d'aneth

½ bouquet de cerfeuil

45 ml (3 c. à s.) de jus d'orange

45 ml (3 c. à s.) de vin blanc sec

Préparation : 20 minutes + temps de cuisson

1 Préchauffer le four à 180 °C (350 °F). Graisser un grand plat à gratin avec 15 ml (1 c. à soupe) d'huile. Rincer et sécher l'extérieur et l'intérieur des poissons, et enduire avec 15 ml (1 c. à soupe) d'huile. Saler et poivrer.

2 Rincer la demi-orange et les citrons à l'eau chaude et couper en rondelles. Laver l'aneth et le cerfeuil et essorer.

3 Farcir chaque bar d'une rondelle d'orange et de citron et d'un brin d'aneth et de cerfeuil. Ficeler les poissons avec de la ficelle à rôti et mettre dans le plat. Enduire avec l'huile restante et cuire au four 40 minutes.

4 Dans une casserole, verser le jus d'orange et le vin, chauffer et arroser les bars en cours de cuisson. Le poisson est cuit lorsque la chair s'effeuille sous la fourchette. Retirer du four.

5 Retirer la ficelle à rôti, garnir de fines herbes et de citron, et servir immédiatement.

ASTUCE

On peut remplacer les bars par deux vivaneaux : le plat sera tout aussi bon et le temps de cuisson réduit de 10 minutes.

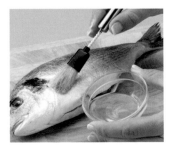 

PERCHE AU CURRY ROUGE
ET AUX LITCHIS

POUR 4 PERSONNES

500 g (1lb) de filets de
perche, sans la peau

30 ml (2 c. à s.) de sauce
d'huître

60 ml (4 c. à s.) de sauce
de poisson

1 concombre

1 piment séché

60 ml (4 c. à s.) d'huile

15 ml (1 c. à s.) de sucre
de palme

15 ml (1 c. à s.) de pâte
de curry rouge

1 l (4 t.) de lait de coco

500 ml (2 t.) de litchis en
boîte

**Préparation : 15 minutes
+ temps de macération**

1 Laver les filets de poisson,
sécher et couper en cubes
de 2,5 cm (1 po). Mélanger la
sauce d'huître et la sauce de
poisson, ajouter le poisson et
laisser mariner 30 minutes.

2 Épépiner le concombre
et couper en rondelles
de 0,5 cm d'épaisseur. Émincer
le piment.

3 Dans un wok, chauffer
l'huile, ajouter le sucre
de palme et la pâte de curry,
et faire revenir jusqu'à ce que

le tout soit doré. Mouiller avec
le lait de coco et porter à
ébullition. Ajouter le concombre
et laisser mijoter 5 minutes
à feu doux.

4 Ajouter les litchis et les
morceaux de poisson,
et cuire encore 2 minutes.
Parsemer de piment et servir
immédiatement.

JAMBALAYA AUX SQUILLES

1 Couper le bacon en dés et le faire griller à sec dans une poêle. Peler les oignons et l'ail, et hacher menu. Nettoyer le poivron, épépiner et hacher. Laver le céleri et hacher finement.

2 Ajouter l'ail et les oignons dans la poêle, cuire jusqu'à ce qu'ils aient blondi et ajouter le piment et le céleri. Faire revenir encore 3 minutes sans cesser de remuer.

3 Incorporer les épices, la sauce Worcestershire, le Tabasco et le concentré de tomate, mouiller avec le fumet et porter à ébullition. Ajouter le riz, couvrir et laisser mijoter 25 minutes, jusqu'à ce que le fumet soit totalement absorbé.

4 Ajouter les squilles et le persil et réchauffer le tout. Retirer les feuilles de laurier et servir immédiatement.

POUR 4 PERSONNES

250 g (½ lb) de bacon ou de jambon

2 oignons

1 gousse d'ail

1 poivron

1 branche de céleri

1 ml (¼ c. à thé) de sel

1 ml (¼ c. à thé) de poivre

1 ml (¼ c. à thé) de thym séché

2 feuilles de laurier

1 trait de Tabasco

1 pincée de noix muscade

2 ml (½ c. à thé) de sauce Worcestershire

45 ml (3 c. à s.) de concentré de tomate

500 ml (2 t.) de fumet de poisson

375 ml (1½ t.) de riz

250 g (½ lb) de squilles cuites et décortiquées

½ bouquet de persil frais, haché

Préparation : 25 minutes + temps de cuisson

NOTE : on peut remplacer les squilles par des langoustines.

ROULEAUX DE LANGOUSTINES

1 Décortiquer les langoustines, vider et laver (quatre d'entre elles doivent conserver leur queue). Couper les langoustines sans queue en dés, saler, poivrer et ajouter l'estragon.

2 Blanchir les dés de carotte, les dés de chou-rave et les rondelles de poireau 1 minute à l'eau bouillante salée, rafraîchir à l'eau courante et égoutter. Ajouter aux dés de langoustine. Blanchir les feuilles de chou 2 minutes à l'eau bouillante salée, rafraîchir à l'eau courante et égoutter.

3 Saler les feuilles de chou, garnir de mélange à base de langoustine et rouler. Enduire les rouleaux de beurre fondu et cuire 10 minutes à la vapeur.

4 Dans une poêle, chauffer la moitié du beurre, ajouter l'échalote française et la mangue, et faire revenir. Saupoudrer de curry, mouiller avec le vermouth et le porto, et cuire jusqu'à ce que la préparation ait réduit de moitié. Ajouter le fumet de poisson et faire réduire de nouveau. Incorporer la crème et laisser réduire de nouveau.

5 Transférer dans un robot de cuisine, ajouter le beurre restant et mélanger le tout. Saler, poivrer et ajouter le jus de lime. Dans une poêle, chauffer l'huile d'olive, ajouter les langoustines entières et faire revenir 1 à 2 minutes. Répartir la sauce dans des assiettes, ajouter les roulades et décorer de langoustines grillées.

POUR 4 PERSONNES

16 à 18 langoustines
30 ml (2 c. à s.) d'estragon haché
50 ml (¼ t.) de dés de carotte
50 ml (¼ t.) de rondelles de poireau
50 ml (¼ t.) de dés de chou-rave
4 feuilles de chou frisé
30 ml (2 c. à s.) de beurre fondu
1 échalote française, hachée
1 mangue, coupée en dés
75 ml (¼ t.) de beurre
15 ml (1 c. à s.) de poudre de curry
30 ml (2 c. à s.) de vermouth
15 ml (1 c. à s.) de porto blanc
125 ml (½ t.) de fumet de poisson
125 ml (½ t.) de crème à 35 %
jus de lime
sel et poivre
15 ml (1 c. à s.) d'huile d'olive

Préparation : 25 minutes + temps de cuisson

VIVANEAU À L'AIGRE-DOUCE
ET SON ÉMINCÉ DE POIREAUX ET CAROTTES

POUR 4 PERSONNES

4 filets de vivaneau
de 120 g (4 onces) chacun
avec la peau

6 carottes moyennes

4 poireaux

60 ml (4 c. à s.) d'huile

30 ml (2 c. à s.) de ketchup

60 ml (4 c. à s.) de sauce
aigre-douce

30 ml (2 c. à s.) de sauce
de poisson

2 brins de coriandre,
finement hachés

Préparation : 25 minutes

1 Laver les filets de poisson, sécher et retirer les arêtes. Couper en morceaux de 2,5 cm (1 po). Laver les carottes, gratter et émincer en lanières à l'aide d'un économe. Couper les poireaux en lanières de 15 cm (6 po), laver et essorer.

2 Dans un wok, chauffer 30 ml (2 c. à soupe) d'huile, ajouter les morceaux de poisson, côté peau vers le bas, et cuire rapidement jusqu'à ce qu'ils soient saisis. Retirer du wok.

3 Ajouter l'huile restante et les légumes et faire revenir, incorporer le ketchup et la sauce aigre-douce, et mouiller avec la sauce de poisson.

4 Remettre les morceaux de poisson dans le wok, mélanger délicatement et incorporer la coriandre. Veiller à ce que la sauce ne réduise pas trop et mouiller éventuellement avec un peu d'eau.

ASTUCE

Le vivaneau peut
être remplacé par
le loup de l'Atlantique.

POISSON À LA MEXICAINE

1 Préchauffer le four à 200 °C (400 °F). Beurrer un plat à gratin plat.

2 Sécher les filets de poisson et mettre dans le plat. Râper le fromage. Enduire le poisson de salsa et parsemer de fromage.

3 Émietter les tortillas, répartir dans le plat et cuire au four 20 minutes.

4 Peler l'avocat, dénoyauter et couper en lamelles. Servir le poisson accompagné d'avocat et de crème sure.

POUR 4 PERSONNES

beurre, pour graisser
800 g (2 lb) de filets de poisson au choix
250 ml (1 t.) de salsa douce ou piquante
125 ml (½ t.) de cheddar
1 l (4 t.) de tortillas de maïs
1 avocat
125 ml (½ t.) de crème sure

Préparation : 20 minutes + temps de cuisson

BROCHETTES CREVETTES-POMMES DE TERRE

POUR 4 PERSONNES

12 petites pommes de terre
à chair ferme

sel

12 grosses crevettes
parées

12 feuilles de sauge

12 tranches de bacon

20 ml (1½ c. à s.) de beurre

poivre

4 brochettes en bois

**Préparation : 10 minutes
+ temps de cuisson**

1 Cuire les pommes de terre avec la peau à l'eau bouillante salée. Égoutter, rafraîchir à l'eau courante et laisser refroidir. Peler et réserver.

2 Envelopper les crevettes d'une feuille de sauge et les pommes de terre d'une tranche de bacon. Piquer 3 crevettes sur chaque brochette en alternant avec 3 pommes de terre.

3 Dans une poêle, chauffer le beurre, ajouter les brochettes et faire griller 8 minutes de chaque côté. Saler, poivrer et servir immédiatement.

BROCHETTES DE SÉBASTE

1 Couper les filets en cubes et envelopper de tranches de bacon. Laver les courgettes et couper en rondelles de 1,5 cm (½ po) d'épaisseur.

2 Laver les tomates. Piquer les cubes de poisson sur les brochettes en alternant avec les rondelles de courgettes, des crevettes et des tomates.

3 Mélanger le vinaigre, l'huile, la sauce Worcestershire et les herbes, saler et poivrer. Enduire les brochettes du mélange obtenu. Passer les brochettes au gril 6 minutes en retournant souvent.

POUR 4 PERSONNES

600 g (1,5 lb) de filets de sébaste

250 g (½ lb) de tranches de bacon

2 petites courgettes

12 tomates cerises

12 crevettes, parées

60 ml (4 c. à s.) d'huile d'olive

10 ml (2 c. à thé) de vinaigre

10 ml (2 c. à thé) de sauce Worcestershire

15 ml (1 c. à s.) d'herbes de Provence

sel

poivre

Préparation : 20 minutes + temps de cuisson

POISSON À LA CRÈME DE COCO

POUR 4 PERSONNES

1 kg (2 lb) de filets de
poisson, perche par
exemple
15 ml (1 c. à s.) de jus
de citron
2 ml (½ c. à thé) d'ail en
poudre
5 ml (1 c. à thé) de cannelle
5 ml (1 c. à thé) de thym
séché
2 ml (½ c. à thé) de paprika
1 l (4 t.) d'épinards frais
300 ml (1¼ t.) de lait de
coco
2 oignons
1 gousse d'ail
50 ml (¼ t.) de beurre
250 g (½ lb) de crevettes,
parées
50 ml (¼ t.) de farine
1 pincée de poudre de curry
1 pincée de coriandre
en poudre

**Préparation : 25 minutes
+ temps de macération
+ temps de cuisson**

1 Laver les filets de poisson,
sécher et arroser de jus
de citron. Mélanger l'ail en
poudre, la cannelle, le thym,
le paprika, 1 pincée de sel
et 1 pincée de poivre. Frotter
le poisson avec le mélange
et laisser reposer 1 heure
au réfrigérateur.

2 Trier les épinards, laver
et couper en fines lanières.
Dans une casserole, verser
le lait de coco, ajouter les
épinards et chauffer jusqu'à ce
que le mélange ait légèrement
réduit. Retirer du feu.

3 Peler les oignons et hacher.
Peler l'ail et écraser avec
un peu de sel avec le plat
d'une lame de couteau. Dans
une poêle, chauffer la moitié
du beurre, ajouter les oignons

et l'ail, et faire revenir jusqu'à
ce qu'ils soient translucides.
Rincer les crevettes, sécher
et ajouter dans la poêle.
Cuire 3 minutes.

4 Transférer le contenu de
la casserole dans un
mélangeur et réduire.
Incorporer dans la poêle,
mélanger et laisser mijoter.

5 Couper les filets de poisson
en morceaux. Mélanger
la farine, un peu de sel, la
poudre de curry et la coriandre
et passer les morceaux de
poisson dans ce mélange.
Dans une poêle, chauffer le
beurre restant, ajouter les
morceaux de poisson et faire
rissoler 6 minutes de chaque
côté. Servir le poisson avec
la crème de coco aux épinards.

VIANDES

Découvrez dans ce chapitre de
savoureuses façons d'accommoder
le bœuf, l'agneau, le veau et le porc.
Essayez nos succulentes variations
autour de l'escalope, nos roulades
raffinées ou nos délicieux gratins
de viande. Des filets d'agneau
à l'orange, aux pommes de terre
farcies au four, en passant par
la terrine de viande au lard, voici
une mine d'idées à succès !

BROCHETTES SAUCE VERTE

1 Dans une terrine, mettre les viandes hachées. Peler l'ail et les oignons, et hacher finement. Peler le poivron, épépiner et couper en dés. Émincer les cornichons.

2 Incorporer à la viande la moitié des oignons hachés, l'ail, le poivron, les cornichons, le persil et les épices, mélanger le tout de façon à obtenir une pâte homogène et façonner des boulettes. Piquer 3 boulettes sur chaque brochette.

3 Passer les brochettes au gril 15 minutes à température maximale en retournant souvent.

4 Mélanger les oignons et les herbes, le yogourt et la crème sure, saler et poivrer. Servir les brochettes avec la sauce.

POUR 4 PERSONNES

250 g (½ lb) de veau haché

250 g (½ lb) de porc haché

2 oignons

1 gousse d'ail

1 poivron rouge

2 cornichons

½ bouquet de persil frais, haché

sel

poivre

5 ml (1 c. à thé) de piment de Cayenne

5 ml (1 c. à thé) de cerfeuil frais haché

5 ml (1 c. à thé) de ciboulette fraîche ciselée

250 ml (1 t.) de yogourt

250 ml (1 t.) de crème sure

**Préparation : 25 minutes
+ temps de cuisson**

FILETS D'AGNEAU À LA MENTHE

POUR 4 PERSONNES

2 gousses d'ail

375 ml (1½ t.) de yogourt

30 ml (2 c. à s.) d'huile d'olive

30 ml (2 c. à s.) de menthe fraîche hachée

sel

8 petits filets d'agneau

poivre

250 ml (1 t.) de chapelure

4 tranches de pain grillé, émiettées

zeste râpé d'un citron non traité

60 ml (4 c. à s.) de farine

2 œufs, battus

45 ml (3 c. à s.) d'huile

Préparation : 20 minutes + temps de cuisson

1 Peler l'ail et hacher menu. Mélanger l'ail, le yogourt, l'huile d'olive et la menthe, et poivrer le tout.

2 Saler et poivrer les filets d'agneau. Mettre la chapelure dans une assiette, ajouter le pain et le zeste de citron, et bien mélanger le tout.

3 Mettre la farine dans une autre assiette et les œufs battus dans une troisième. Passer les filets d'agneau dans la farine, dans l'œuf battu et dans la chapelure. Dans une poêle, chauffer l'huile, ajouter les filets de viande et cuire 3 minutes des deux côtés. Servir accompagné de sauce au yogourt et à la menthe.

FILETS D'AGNEAU À L'ORANGE

1 Aplatir les filets d'agneau. Peler l'ail, hacher et mélanger avec l'huile. Frotter la viande avec le mélange obtenu et laisser mariner 12 heures.

2 Éplucher les échalotes et hacher. Chauffer une poêle à feu vif, ajouter la viande et cuire 5 minutes des deux côtés jusqu'à ce qu'elle soit saisie. Retirer de la poêle et réserver au chaud.

3 Mettre les échalotes dans la poêle et faire revenir jusqu'à ce qu'elles soient translucides. Mouiller avec le bouillon et le vin rouge, ajouter le thym et porter à ébullition sans cesser de remuer. Transférer le tout dans mélangeur et réduire. Incorporer la marmelade et cuire la sauce encore 5 minutes. Rectifier l'assaisonnement. Peler les oranges à vif et séparer en quartiers.

4 Saler et poivrer l'agneau et piquer 2 filets sur chaque brochette en alternant avec les quartiers d'oranges. Servir nappé de sauce.

POUR 4 PERSONNES

8 filets d'agneau
1 gousse d'ail
75 ml (5 c. à s.) d'huile d'olive
2 échalotes
125 ml (½ t.) de bouillon de bœuf
125 ml (½ t.) de vin rouge
15 ml (1 c. à s.) de thym haché
45 ml (3 c. à s.) de marmelade
2 oranges
sel et poivre

**Préparation : 25 minutes
+ temps de macération
+ temps de cuisson**

CARRÉS D'AGNEAU AUX HERBES

POUR 4 PERSONNES

1 oignon

2 gousses d'ail

90 ml (6 c. à s.) d'huile d'olive

2 ml (½ c. à thé) de cerfeuil frais haché

2 ml (½ c. à thé) de thym haché

2 ml (½ c. à thé) de marjolaine hachée

2 ml (½ c. à thé) de sauge hachée

2 ml (½ c. à thé) de romarin haché

sel

poivre

12 carrés d'agneau

Préparation : 20 minutes + temps de macération + temps de cuisson

1 Peler l'ail et l'oignon, et hacher menu. Dans un bol, mélanger l'huile d'olive, l'ail, l'oignon et les herbes, saler et poivrer.

2 Inciser les carrés d'agneau en croisillons de sorte qu'ils ne se recroquevillent pas à la cuisson. Enduire du mélange précédent et laisser mariner 12 heures.

3 Retirer la viande de la marinade et égoutter soigneusement en réservant la marinade. Passer les carrés d'agneau 8 minutes au gril en les retournant plusieurs fois et en arrosant souvent de marinade. Servir accompagné de tranches de baguette ou de pommes de terre en papillotes.

CÔTELETTES D'AGNEAU MARINÉES ET RÔTIES

1 Mélanger l'huile, le jus de citron, le cognac, les épices, l'ail et les herbes, ajouter la viande et laisser mariner au réfrigérateur 4 heures en retournant fréquemment.

2 Préchauffer le four à 200 °C (400 °F). Retirer la viande de la marinade et cuire 15 minutes dans une sauteuse.

3 Arroser plusieurs fois de marinade et passer au gril 8 minutes de chaque côté.

POUR 8 PERSONNES

90 ml (6 c. à s.) d'huile
jus de 1 citron
75 ml (⅓ t.) de cognac
sel
poivre
2 gousses d'ail, hachées
30 ml (2 c. à s.) d'herbes de Provence séchées
8 côtelettes d'agneau

Préparation : 10 minutes
+ temps de macération
+ temps de cuisson

TERRINE DE VIANDE AU LARD

POUR 4 PERSONNES

1 oignon

2 gousses d'ail

750 ml (3 t.) d'épinards

15 ml (1 c. à s.) d'huile

75 ml (5 c. à s.) de ketchup

30 ml (2 c. à s.) de moutarde

90 ml (6 c. à s.) de sucre brun

1 kg (2 lb) de viande de bœuf hachée

125 ml (½ t.) de flocons d'avoine

4 œufs

sel

poivre

8 tranches de lard fumé

Préparation : 20 minutes + temps de cuisson

1 Peler l'ail et l'oignon, et hacher menu. Trier les épinards, laver et cuire à la vapeur jusqu'à ce qu'ils soient tendres. Égoutter et hacher.

2 Dans une poêle, chauffer l'huile, ajouter l'oignon et l'ail, et faire revenir jusqu'à ce qu'ils soient translucides. Transférer dans une terrine et laisser refroidir. Préchauffer le four à 200 °C (400 °F).

3 Ajouter le ketchup, le sucre et la moutarde dans la terrine, mélanger et incorporer la viande hachée, les flocons d'avoine, les œufs et les épinards. Malaxer le tout, saler et poivrer.

4 Répartir la préparation obtenue dans un moule à gâteau, couvrir de tranches de lard et envelopper de papier d'aluminium. Cuire au four 45 minutes.

5 Retirer le papier d'aluminium 15 minutes avant la fin de la cuisson de sorte que la terrine soit dorée et croustillante.

ASTUCE

On peut améliorer la cohésion du mélange de viande hachée en augmentant la proportion de flocons d'avoine ou en y incorporant de la chapelure.

94

ROSBIF

POUR 8 PERSONNES

2 kg (4 lb) d'aloyau de bœuf
choisi près de l'os

2 ml (½ c. à thé) de
moutarde en poudre

2 ml (½ c. à thé) de
poivre noir

sel

60 ml (4 c. à s.) de
beurre

**Préparation : 20 minutes
+ temps de cuisson**

1 Préchauffer le four à 180 °C
(350 °F). Inciser la barde et
frotter la viande de moutarde
en poudre, de poivre et de sel.

2 Dans une cocotte, chauffer
le beurre, ajouter la
viande et faire revenir sur
toutes les faces, côté barde
en premier, jusqu'à formation
d'une croûte brune. Transférer
le rosbif dans un plat allant
au four côté barde vers le haut
et cuire au four 30 minutes,
jusqu'à ce qu'il soit mi-cuit.

3 Retirer du four, envelopper
de papier d'aluminium
et laisser reposer quelques
minutes. Découper en tranches
fines et servir accompagné
de crème au raifort ou d'une
sauce froide à la moutarde.

ASTUCE

**Pour estimer à la perfection
le temps de cuisson, utiliser
un thermomètre à viande.**

96

HAMBURGERS

1 Mélanger le bœuf haché, les flocons d'avoine, 30 ml (2 c. à soupe) de ketchup, le lait, la moutarde et l'œuf, et mélanger jusqu'à obtention d'une consistance homogène. Saler, poivrer et incorporer l'origan.

2 Façonner 4 galettes. Dans une poêle, chauffer l'huile, ajouter les galettes et faire revenir jusqu'à ce qu'elles soient dorées. Réduire le feu et faire rissoler 7 minutes.

3 Peler l'oignon, couper en rondelles et ajouter aux galettes de viande un peu avant la fin de la cuisson.

4 Couper les petits pains en deux, beurrer et passer au gril.

5 Farcir chaque petit pain d'une galette de viande garnie d'oignons et nappée de ketchup. Garnir de tranches de tomate et de feuilles de salade.

POUR 4 PERSONNES

600 g (1½ lb) de bœuf haché
75 ml (⅓ t.) de flocons d'avoine
ketchup
30 ml (2 c. à s.) de lait
15 ml (1 c. à s.) de moutarde
1 œuf
2 ml (½ c. à thé) d'origan séché
30 ml (2 c. à s.) d'huile
1 oignon
4 petits pains pour hamburger
30 ml (2 c. à s.) de beurre
tranches de tomate et feuilles de salade, en garniture

Préparation : 15 minutes + temps de cuisson

ROULADES DE BŒUF

1 Trier les épinards, laver et hacher grossièrement. Dans une cocotte, chauffer 30 ml (2 c. à soupe) d'huile et faire revenir rapidement.

2 Saler, poivrer et retirer de la cocotte. Presser de façon à exprimer l'excédent de jus et hacher finement. Préchauffer le four à 180 °C (350 °F).

3 Peler les échalotes françaises et l'ail, et hacher menu. Brosser les champignons et émincer finement.

4 Dans une poêle, chauffer l'huile restante, ajouter les échalotes, l'ail, le thym et les champignons. Mouiller avec le cognac, laisser réduire un peu et incorporer le jus de lime et le beurre. Incorporer les épinards hachés et le fromage, et rectifier l'assaisonnement.

5 Garnir les steaks de farce, rouler et fixer à l'aide de ficelle à rôti ou d'un pique. Mettre dans un plat allant au four et cuire au four 20 minutes, jusqu'à ce que la viande soit tendre.

6 Découper les roulades en tranches d'environ 1,5 cm (½ po) d'épaisseur et servir accompagné de quartiers de pommes de terre.

POUR 4 PERSONNES

1,5 l (6 t.) de feuilles d'épinard

60 ml (4 c. à s.) d'huile d'olive

sel

poivre

2 échalotes françaises

1 gousse d'ail

4 à 5 de champignons de Paris

5 ml (1 c. à thé) de feuilles de thym hachées

30 ml (2 c. à s.) de cognac

jus de ½ lime

60 ml (4 c. à s.) de beurre

125 ml (½ t.) de gruyère, râpé

2 grands steaks fins de 250 g (½ lb) chacun

Préparation : 25 minutes + temps de cuisson

POMMES DE TERRE FARCIES AU FOUR

POUR 4 PERSONNES

2 grosses pommes de terre
sel
½ botte d'oignons verts
30 ml (2 c. à s.) de beurre
200 g (½ lb) de viandes
hachées de différentes
sortes
poivre
paprika
125 ml (½ t.) de fromage,
râpé

**Préparation : 20 minutes
+ temps de cuisson**

1 Laver les pommes de terre et cuire 15 minutes à l'eau salée en veillant à ce qu'elles restent fermes. Égoutter et laisser tiédir.

2 Peler les oignons verts et couper en rondelles. Dans une poêle, chauffer la moitié du beurre, ajouter les oignons verts et faire revenir. Saler, poivrer et ajouter du paprika.

3 Couper les pommes de terre en deux, prélever de la chair au centre de chaque moitié et incorporer au mélange précédent. Garnir chaque moitié de pomme de terre de la préparation obtenue, saler et parsemer de noix de beurre restant et de fromage. Passer les pommes de terre au gril 10 minutes et servir accompagné d'une salade verte.

NEMS AU BŒUF

1 Peler les poivrons, épépiner et émincer en lanières. Brosser les champignons et détailler en dés. Dans une terrine, mettre le vermicelle de riz, couvrir d'eau bouillante et laisser reposer 5 minutes. Égoutter.

2 Dans une poêle, chauffer l'huile, ajouter les lanières de poivron, les champignons et la viande hachée, et faire revenir le tout. Ajouter le vermicelle de riz, la coriandre, le gingembre et la sauce soya, saler et poivrer.

3 Étaler les galettes de riz ramollies par de l'eau, enduire les bords de blanc d'œuf battu et garnir de farce. Rouler fermement.

4 Dans une sauteuse, chauffer de l'huile, ajouter les nems et faire frire jusqu'à ce qu'ils soient croustillants. Servir très chaud accompagné de sauce soya.

POUR 4 PERSONNES

1 poivron rouge

1 poivron jaune

4 à 5 champignons de Paris

125 ml (½ t.) vermicelle de riz

30 ml (2 c. à s.) d'huile

100 g (4 onces) de bœuf haché

1 bouquet de coriandre, hachée

5 ml (1 c. à thé) de gingembre frais râpé

30 ml (2 c. à s.) de sauce soya

sel

poivre

8 galettes de riz

1 blanc d'œuf, battu

500 ml (2 t.) d'huile, pour la friture

Préparation : 20 minutes + temps de cuisson

101

KALUA PIG

POUR 6 PERSONNES

1 jambon de 2 kg (4 lb)
ou un rôti de porc
avec sa couenne
500 ml (2 t.) de cidre
sel fumé et ordinaire

**Préparation : 10 minutes
+ temps de cuisson**

1 Mouiller l'intérieur
d'une cocotte en terre
cuite. Frotter la viande de porc
de sel fumé, déposer dans
la cocotte et arroser de cidre.

2 Cuire 5 heures au four
non préchauffé à 150 °C
(300 °F).

3 Retirer la viande de
la cocotte, saler avec
du sel ordinaire et défaire
ou détailler en fines lanières.
Servir le kalua pig avec
de la salade ou du riz
accompagné de légumes.

CÔTES DE PORC AUX POMMES ET AU GINGEMBRE

1 Dégraisser les côtes de porc. Peler l'ail et hacher finement. Mélanger l'ail, 30 ml (2 c. à soupe) de jus de citron, 15 ml (1 c. à soupe) de gingembre, le ketjap manis, la sauce soya, le vinaigre de vin de riz, l'huile d'olive et le poivre, ajouter la viande et laisser mariner 12 heures.

2 Peler les pommes, couper en quartiers et détailler en lamelles. Dans une casserole, mettre le vin de riz, le jus de citron restant et le sucre,

et chauffer sans laisser bouillir. Ajouter les pommes et cuire 15 minutes à feu doux.

3 Couper les pommes en petits morceaux, remettre dans la casserole et incorporer le piment de Cayenne et le gingembre restant.

4 Retirer les côtes de porc de la marinade et sécher. Passer 7 à 8 minutes au gril et servir accompagné de sauce aux pommes et au gingembre.

POUR 4 PERSONNES

4 côtes de porc de 200 g (½ lb) chacune

3 gousses d'ail

75 ml (⅓ t.) de jus de citron

30 ml (2 c. à s.) de rhizome de gingembre râpé

150 ml (⅔ t.) de ketjap manis

30 ml (2 c. à s.) de sauce soya

75 ml (⅓ t.) de vinaigre de vin de riz

45 ml (3 c. à s.) d'huile d'olive

5 ml (1 c. à thé) de poivre

4 pommes

75 ml (⅓ t.) de sucre

30 ml (2 c. à s.) de vin de riz

piment de Cayenne

**Préparation : 20 minutes
+ temps de macération
+ temps de cuisson**

FRIANDS

POUR 4 PERSONNES

450 g (1 lb) de pâte
feuilletée surgelée

1 gousse d'ail

1 oignon

2 tomates

250 ml (1 t.) de haricots
rouges en boîte

425 ml (1⅓ t.) de maïs en
boîte

450 g (1 lb) de différentes
viandes hachées

2 œufs

sel

poivre

2 ml (½ c. à thé) de piment
de Cayenne

2 ml (½ c. à thé) de paprika
doux

30 ml (2 c. à s.) de cerfeuil
frais haché

**Préparation : 25 minutes
+ temps de décongélation
+ temps de cuisson**

1 Faire décongeler la pâte. Peler l'ail et l'oignon, et hacher. Couper les tomates en dés. Égoutter les haricots et le maïs. Préchauffer le four à 200 °C (400 °F).

2 Mélanger les légumes, la viande hachée, 1 œuf, les épices et le cerfeuil. Séparer le blanc du jaune de l'œuf restant. Réserver un peu de pâte, abaisser la pâte restante en rectangle et enduire les bords de blanc d'œuf. Répartir la farce sur le rectangle et rouler.

3 Façonner des tortillons avec la pâte réservée, enduire de blanc d'œuf et en garnir le rouleau. Dorer le tout au jaune d'œuf.

4 Poser le rouleau sur une plaque chemisée de papier parchemin et cuire au four 40 minutes. Couper en tronçons et servir accompagné de salade.

STEAKS DE BŒUF

POUR 4 PERSONNES

30 ml (2 c. à s.) de beurre
4 steaks de bœuf
de 180 g (½ lb) chacun
2 oignons
125 ml (½ t.) de farine
500 ml (2 t.) d'huile,
pour la friture
sel

**Préparation : 10 minutes
+ temps de cuisson**

1 Dans une poêle de fonte, chauffer le beurre, ajouter les steaks et cuire 2 à 3 minutes de chaque côté, jusqu'à ce qu'ils soient saisis. Veiller à ne pas cuire à cœur. Retirer les steaks de la poêle et réserver au chaud.

2 Peler les oignons, couper en rondelles et fariner. Dans une sauteuse ou une friteuse, chauffer de l'huile à 160 °C (325 °F), plonger les oignons 10 minutes et retirer à l'aide d'une écumoire. Égoutter sur du papier absorbant et saler. Servir les steaks avec les oignons et de la salade.

CARRÉS D'AGNEAU AU VIN ROUGE

1 Préchauffer le four à 200 °C (400 °F). Ôter les parties grasses et les tendons des carrés d'agneau et frotter avec du sel et du poivre. Dans une cocotte, chauffer l'huile, ajouter la viande et cuire 1 minute à feu vif, jusqu'à ce qu'elle soit saisie des deux côtés.

2 Cuire au four 8 minutes, retirer de la cocotte et réserver au chaud.

3 Peler les oignons verts et couper en rondelles. Conserver dans la cocotte que l'équivalent de 15 ml (1 c. à soupe) de graisse, ajouter les oignons verts et faire revenir. Mouiller avec le vin rouge et le bouillon, et cuire jusqu'à ce que la sauce ait réduit de moitié.

4 Peler l'ail, hacher menu et incorporer à la chapelure. Enduire les carrés d'agneau de moutarde et passer dans la chapelure aillée.

5 Incorporer le beurre et le thym à la sauce, saler et poivrer. Servir les carrés d'agneau avec la sauce au vin et des pommes de terre cuites au four.

POUR 4 PERSONNES

4 carrés d'agneau

sel

poivre

30 ml (2 c. à s.) d'huile d'olive

½ botte d'oignons verts

75 ml (⅓ t.) de vin rouge

250 ml (1 t.) de bouillon de légumes

1 gousse d'ail

125 ml (½ t.) de chapelure

5 ml (1 c. à thé) de moutarde de Dijon

60 ml (4 c. à s.) de beurre

5 ml (1 c. à thé) de thym frais haché

Préparation : 20 minutes + temps de cuisson

ASTUCE

Le thym peut être remplacé par 15 ml (1 c. à soupe) d'estragon.

PAIN DE VIANDE

POUR 4 PERSONNES

1 petit pain de la veille

2 oignons

600 g (1½ lb) de diverses viandes hachées

2 œufs

30 ml (2 c. à s.) de persil frais haché

10 ml (2 c. à thé) de moutarde forte

5 ml (1 c. à thé) de paprika doux

30 ml (2 c. à s.) d'huile

1 tomate

125 ml (½ t.) de bouillon de viande

75 ml (⅓ t.) de crème sure

**Préparation : 25 minutes
+ temps de trempage
+ temps de cuisson**

1 Faire tremper le pain dans de l'eau 10 minutes, égoutter et presser de façon à exprimer l'excédent d'eau. Peler les oignons et hacher. Mélanger la viande hachée, le pain, les oignons, les œufs, le persil et la moutarde, saler, poivrer et ajouter le paprika. Bien malaxer le tout et façonner la pâte en forme de rôti allongé.

2 Préchauffer le four à 200 °C (400 °F). Dans une poêle, chauffer l'huile, ajouter le pain de viande et cuire jusqu'à ce qu'il soit uniformément doré. Mettre dans un plat à gratin et cuire au four 1 heure.

3 Couper la tomate en dés et ajouter au bouillon. Arroser le pain de viande de ce mélange en cours de cuisson.

4 Incorporer la crème sure à la sauce, saler et poivrer. Couper le pain de viande en tranches et servir accompagné de purée de pommes de terre et d'une salade verte.

MOUSSAKA

1 Peler les aubergines et couper en tranches de 0,5 cm (⅕ po) d'épaisseur. Saupoudrer de sel et laisser dégorger 1 heure. Peler l'ail et l'oignon, et hacher. Dans une poêle, chauffer 30 ml (2 c. à soupe) d'huile, ajouter l'ail et l'oignon, et faire revenir. Ajouter la viande hachée, cuire jusqu'à ce qu'elle soit dorée, saler et poivrer.

2 Incorporer les tomates, la cannelle, le concentré de tomate et les herbes, mouiller avec le vin et retirer la poêle du feu.

3 Essuyer les aubergines et faire revenir dans très peu d'huile jusqu'à ce qu'elles soient dorées. Préchauffer le four à 220 °C (425 °F). Beurrer un moule à gratin, garnir de couches d'aubergine alternées avec des couches de préparation à base de viande en terminant par une couche d'aubergine. Préparer une béchamel avec le beurre, la farine et le lait, saler, poivrer et napper le plat. Parsemer la moussaka de fromage et cuire au four 45 minutes.

POUR 4 PERSONNES

3 aubergines
sel
1 oignon
1 gousse d'ail
125 ml (½ t.) d'huile d'olive
400 g (1 lb) d'agneau haché
poivre
300 ml (1¼ t.) de tomates concassées en boîte
30 ml (2 c. à s.) de vin blanc
30 ml (2 c. à s.) de concentré de tomate
2 ml (½ c. à thé) de cannelle en poudre
30 ml (2 c. à s.) de persil frais haché
2 cuil. à café de menthe finement hachée
45 ml (3 c. à s.) de beurre
45 ml (3 c. à s.) de farine
300 ml (1¼ t.) de lait
125 ml (½ t.) de fromage de montagne

**Préparation : 20 minutes
+ temps de repos
+ temps de cuisson**

109

HACHIS POÊLÉ AUX FRUITS

POUR 4 PERSONNES

3 oignons rouges
2 tomates
90 ml (6 c. à s.) d'huile
d'olive
600 g (1½ lb) de bœuf
haché
sel
poivre
5 ml (1 c. à thé) de poudre
de curry
125 ml (½ t.) de bouillon
de légumes
45 ml (3 c. à s.) de vin blanc
sec
3 à 4 pommes de terre
4 moitiés de pêche
en boîte
75 ml (⅓ t.) de pruneaux
30 ml (2 c. à s.) de raisins
secs

**Préparation : 20 minutes
+ temps de cuisson**

1 Peler les oignons et hacher. Blanchir les tomates à l'eau bouillante et monder. Épépiner et couper en huit.

2 Dans une poêle, chauffer l'huile, ajouter les oignons et faire revenir jusqu'à ce qu'ils soient translucides. Ajouter la viande hachée, les tomates et les épices, et laisser mijoter 5 minutes. Mouiller avec le bouillon et le vin, et cuire encore 10 minutes à feu doux.

3 Peler les pommes de terre, couper en dés et ajouter dans la poêle. Couvrir et cuire 15 minutes.

4 Égoutter les pêches et couper en lamelles. Hacher les pruneaux. Rincer les raisins secs à l'eau chaude. Ajouter les fruits dans la poêle, mélanger et cuire encore 10 minutes. Rectifier l'assaisonnement et servir accompagné des tranches de pain frais.

POTÉE INDIENNE D'AGNEAU AUX PETITS POIS

1 Peler l'ail et les oignons, et hacher. Peler les piments, épépiner et hacher menu. Peler le gingembre et râper. Dans une poêle, chauffer l'huile, ajouter l'ail, les oignons et les piments, et faire revenir. Ajouter le gingembre et la viande hachée, et faire revenir.

2 Incorporer les épices et cuire le tout 5 minutes. Mélanger le concentré de tomate et 250 ml (1 t.), et verser dans la poêle.

3 Peler les pommes de terre et couper en dés. Faire décongeler les petits pois. Ajouter les pommes de terre dans la poêle et laisser mijoter encore 15 minutes. Incorporer les petits pois et cuire jusqu'à ce qu'ils soient tendres. Saler, poivrer et parsemer de coriandre. Servir immédiatement.

POUR 4 PERSONNES

3 oignons

2 gousses d'ail

2 piments

3 cm (1 po) de rhizome de gingembre frais

45 ml (3 c. à s.) d'huile

500 g (1 lb) d'agneau haché

5 ml (1 c. à thé) de cumin blanc en poudre

10 ml (2 c. à thé) de curry

5 ml (1 c. à thé) de curcuma

15 ml (1 c. à s.) de concentré de tomate

3 pommes de terre

250 ml (1 t.) de petits pois surgelés

30 ml (2 c. à s.) de coriandre fraîche hachée

Préparation : 25 minutes
+ temps de cuisson

FEUILLETÉS À LA VIANDE

POUR 8 PERSONNES

300 g (½ lb) de pâte feuilletée surgelée

2 poireaux

2 carottes

2 courgettes

2 oignons

45 ml (3 c. à s.) de beurre

300 g (½ lb) de différentes viandes hachées

sel

poivre

½ bouquet de persil frais, haché

4 tomates

125 ml (½ t.) de fromage, râpé

persil, pour la garniture

Préparation : 20 minutes + temps de décongélation + temps de cuisson

1 Faire décongeler la pâte. Peler les poireaux, laver et couper en rondelles. Peler les carottes et les courgettes, et râper grossièrement. Peler les oignons et couper en anneaux.

2 Dans une poêle, faire fondre 20 ml (1,5 c. à soupe) de beurre, ajouter les oignons et faire revenir. Ajouter la viande hachée et cuire jusqu'à ce qu'elle soit dorée. Ajouter les légumes et cuire 5 minutes. Saler, poivrer et incorporer le persil haché.

3 Préchauffer le four à 220 °C (425 °F). Abaisser la pâte, découper 8 carrés de 10 x 10 cm et foncer des petits moules beurrés. Garnir les fonds de tartes de garniture.

4 Couper les tomates en huit et répartir sur la farce côté peau vers le haut. Cuire au four 25 minutes en parsemant de fromage 10 minutes avant la fin de la cuisson. Garnir de persil pour servir.

TARTE AU CHOU ET À LA VIANDE

1 Mélanger la farine, 1 œuf, le beurre, 30 ml (2 c. à soupe) d'eau et 1 pincée de sel de façon à obtenir une pâte homogène. Laisser reposer 30 minutes.

2 Laver le chou frisé, retirer le cœur et couper les feuilles en lanières. Dans une poêle, chauffer 30 ml (2 c. à soupe) d'huile, ajouter la viande hachée et faire revenir jusqu'à ce qu'elle soit bien dorée. Ajouter le chou et cuire 3 minutes. Saler et poivrer. Préchauffer le four à 180 °C (350 °F).

3 Abaisser la pâte, foncer un moule à fond amovible de 26 cm (10 po) de diamètre et répartir la farce dans le fond de tarte. Couper les tomates en rondelles et disposer sur la tarte.

4 Battre les œufs restants avec la crème, ajouter le fromage, du sel et du piment et napper la tarte. Cuire au four 40 minutes.

POUR 16 PERSONNES

250 ml (1 t.) de farine
4 œuf
125 ml (½ t.) de beurre
sel
500 ml (2 t.) de chou frisé
60 ml (4 c. à s.) d'huile
250 g (½ lb) de différentes viandes hachées
poivre et piment de Cayenne
500 ml (2 t.) de tomates
250 ml (1 t.) de crème à 35 %
125 ml (½ t.) de fromage, râpé

**Préparation : 20 minutes
+ temps de repos
+ temps de cuisson**

ROULADES DE VEAU
AUX POIVRONS

POUR 4 PERSONNES

4 escalopes de veau

poivre

sel

8 abricots secs

4 tranches de bacon

45 ml (3 c. à s.) d'huile

1 oignon rouge

1 poivron rouge, 1 vert
et 1 jaune

250 ml (1 t.) de bouillon
de légumes

15 ml (1 c. à s.) d'aneth frais
haché

15 ml (1 c. à s.) de miel

**Préparation : 30 minutes
+ temps de cuisson**

1 Attendrir les escalopes, saler et poivrer. Envelopper les abricots deux par deux d'une tranche de bacon et garnir chaque escalope d'un rouleau. Enrouler les escalopes et maintenir à l'aide d'un pique de bois.

2 Dans une poêle, chauffer l'huile, ajouter les roulades et cuire 5 minutes, jusqu'à ce qu'elles soient saisies. Transférer dans un plat à gratin. Préchauffer le four à 200 °C (400 °F).

3 Peler l'oignon et couper en dés. Peler les poivrons, épépiner et couper en dés. Mettre l'oignon et les poivrons dans le jus de cuisson des escalopes et faire revenir jusqu'à ce qu'ils soient tendres. Mouiller avec le bouillon, ajouter l'aneth et le miel, et porter à ébullition. Saler et poivrer.

4 Répartir les légumes autour des roulades et cuire au four 30 minutes. Servir accompagné de riz.

ÉMINCÉ DE VEAU À LA CRÈME

1 Émincer les escalopes en lanières de 1 cm (½ po) de largeur. Peler l'oignon et hacher. Dans une poêle, chauffer 15 ml (1 c. à soupe) de beurre, ajouter la viande et faire revenir 5 à 6 minutes. Retirer de la poêle.

2 Chauffer le beurre restant dans la poêle, ajouter l'oignon et faire revenir. Saupoudrer de farine, mouiller avec l'eau-de-vie et le bouillon de bœuf, et porter à ébullition. Cuire 15 minutes à feu doux.

3 Incorporer la crème, saler et poivrer. Remettre la viande dans la poêle et laisser mijoter 5 minutes dans la sauce. Garnir de poivre vert en branches et servir accompagné de riz sauvage.

POUR 4 PERSONNES

4 escalopes de veau

1 oignon

30 ml (2 c. à s.) de beurre

15 ml (1 c. à s.) de farine

60 ml (4 c. à s.) d'eau-de-vie de raisin

250 ml (1 t.) de bouillon de bœuf

150 ml (⅔ t.) de crème à 35 %

sel

poivre

poivre vert en branches, en garniture

Préparation : 20 minutes + temps de cuisson

ASTUCE

Ce plat sera encore plus fin si l'on remplace les escalopes par du filet.

115

CHAUSSONS DE VIANDE AUX LÉGUMES

POUR 4 PERSONNES

1 échalote

1 gousse d'ail

30 ml (2 c. à s.) d'huile

150 g (5 onces) de bœuf haché

1 carotte

125 ml (½ t.) de champignons de Paris

125 ml (½ t.) de maïs en boîte

sel

poivre

5 ml (1 c. à thé) de paprika doux

3 traits de Tabasco

200 g (7 onces) de feuilles de pâte filo

2 jaunes d'œufs

Préparation : 20 minutes + temps de cuisson

1 Peler l'échalote et l'ail, et hacher menu. Dans une poêle, chauffer l'huile, ajouter l'ail et l'échalote, et faire revenir jusqu'à ce qu'ils soient translucides. Ajouter la viande et faire revenir jusqu'à ce qu'elle soit dorée. Peler la carotte et couper en dés. Brosser les champignons et hacher. Égoutter le maïs.

2 Ajouter la carotte et les champignons dans la poêle et faire revenir 5 minutes. Ajouter le maïs, saler, poivrer et incorporer le paprika et le Tabasco.

3 Préchauffer le four à 180 °C (350 °F). Étaler les feuilles de pâte filo, humecter légèrement et découper en bandes de 10 cm (4 po) de large. Déposer 10 ml (2 c. à thé) de farce sur chaque bande et replier les bandes en partant de l'extrémité de façon à obtenir des chaussons allongés.

4 Graisser une plaque et ajouter les chaussons. Battre les jaunes d'œufs, enduire les chaussons et cuire au four 25 minutes. Servir accompagné de fromage blanc aux herbes.

TARTE AU FROMAGE À LA CRÈME

POUR 4 PERSONNES

1 kg (2 lb) de pommes de terre

500 g (1 lb) de pâte à pain

250 ml (1 t.) de fromage à la crème

3 oignons

250 g (½ lb) de jambon fumé

15 ml (1 c. à s.) de fécule de maïs

50 ml (¼ t.) de lait, chauffé

2 œufs

150 ml (⅔ t.) d'huile

cumin

sel

poivre

Préparation : 20 minutes + temps de cuisson

1 Laver les pommes de terre et cuire 20 minutes à l'eau bouillante. Égoutter et laisser refroidir. Abaisser la pâte à pain sur une tôle graissée. Préchauffer le four à 230 °C (450 °F).

2 Peler les pommes de terre, râper et mettre dans une terrine. Incorporer le fromage à la crème. Peler les oignons et hacher finement.

3 Couper le jambon en dés. Mélanger les oignons, le jambon, la fécule de maïs, le lait chaud, les œufs et l'huile, ajouter le tout dans la terrine et malaxer jusqu'à obtention d'une pâte homogène.

4 Ajouter du cumin, saler et poivrer. Répartir la garniture sur la pâte et cuire 30 minutes.

ÉMINCÉ DE BŒUF AUX POMMES DE TERRE

1 Préchauffer le four à 180 °C (350 °F). Couper la viande en tranches, saler et poivrer. Peler les oignons et couper en quatre.

2 Mélanger le concentré de tomate, le paprika et la harissa, délayer avec un peu d'eau. Huiler un plat à gratin, couvrir le fond de tranches de viande et couvrir d'oignons. Napper le tout du mélange à base de concentré de tomate et cuire au four 30 minutes en arrosant de temps en temps de sauce.

3 Peler les pommes de terre et couper en rondelles. Laver les tomates, épépiner et couper en dés.

4 Ajouter les pommes de terre et les tomates à la viande et cuire encore 30 minutes. Laver le persil, essorer et hacher. Parsemer le plat et servir.

POUR 4 PERSONNES

750 g (1½ lb) de bœuf

sel

poivre

2 oignons

15 ml (1 c. à s.) de concentré de tomate

5 ml (1 c. à thé) de paprika doux

2 ml (½ c. à thé) de harissa

15 ml (1 c. à s.) d'huile d'olive

5 à 6 de pommes de terre

2 à 3 de tomates

1 bouquet de persil

Préparation : 20 minutes + temps de cuisson

BROCHETTES D'AGNEAU HACHÉ

POUR 4 PERSONNES

500 g (1 lb) de viande
d'agneau hachée

1 œuf

5 ml (1 c. à thé) de cumin
blanc
en poudre

5 ml (1 c. à thé) de
coriandre en poudre

15 ml (1 c. à s.) de sauge
fraîche hachée

2 ml (½ c. à thé) de piment
de Cayenne

sel

poivre

8 petits oignons

12 feuilles de laurier

45 ml (3 c. à s.) d'huile
d'olive

**Préparation : 20 minutes
+ temps de cuisson**

1 Incorporer l'œuf, le cumin blanc, la coriandre, la sauge et le piment de Cayenne à la viande hachée, saler et poivrer.

2 Les mains humides, façonner des boulettes. Peler les oignons et couper en gros morceaux. Piquer les boulettes de viande sur les brochettes en alternant avec les morceaux d'oignons et les feuilles de laurier.

3 Enduire les brochettes d'huile d'olive et passer au gril 8 à 10 minutes. Servir accompagné de semoule et d'une sauce au yogourt.

VEAU AU GORGONZOLA

POUR 4 PERSONNES

8 petites escalopes de veau
sel
poivre
125 ml (½ t.) de crème
à 35 %
125 ml (½ t.) de gorgonzola,
coupé en dés
45 ml (3 c. à s.) de beurre
20 ml (1½ c. à s.) de grappa
15 ml (1 c. à s.) de
ciboulette ciselée

**Préparation : 20 minutes
+ temps de cuisson**

1 Attendrir les escalopes, saler et poivrer. Verser la crème dans une casserole, ajouter le gorgonzola et porter à ébullition. Mélanger le tout et réserver.

2 Dans une poêle, chauffer le beurre, ajouter les escalopes et faire revenir 3 minutes de chaque côté. Retirer de la poêle et réserver au chaud.

3 Déglacer le jus de cuisson avec la grappa et porter à ébullition. Ajouter le mélange à base de gorgonzola et la ciboulette, et cuire jusqu'à ce que la sauce ait réduit et obtienne une consistance veloutée. Napper les escalopes de sauce au gorgonzola et servir accompagné de ciabatta.

ESCALOPES DE VEAU À L'ITALIENNE

1 Mélanger 30 ml (2 c. à soupe) d'huile d'olive et le Marsala. Attendrir les escalopes, ajouter à la marinade et couvrir. Laisser mariner 1 heure.

2 Dans une poêle, chauffer l'huile d'olive restante. Égoutter les escalopes en réservant la marinade, ajouter dans la poêle et cuire 4 à 5 minutes de chaque côté. Retirer de la poêle et réserver au chaud.

3 Déglacer le jus de cuisson avec le bouillon, ajouter la marinade, saler et poivrer. Peler les oignons verts, couper en rondelles et incorporer à la sauce.

4 Délayer la fécule de maïs dans un peu d'eau, incorporer à la sauce et ajouter les escalopes. Réchauffer le tout et servir accompagné de tagliatelles.

POUR 4 PERSONNES

45 ml (3 c. à s.) d'huile d'olive

125 ml (½ t.) de Marsala

4 escalopes de veau

375 ml (1½ t.) de bouillon de légumes

poivre

sel

50 ml (¼ t.) d'oignons verts

15 ml (1 c. à s.) de fécule de maïs

**Préparation : 20 minutes
+ temps de macération
+ temps de cuisson**

ASTUCE

Pour une saveur plus prononcée, remplacer le Marsala par du vin blanc sec.

123

POITRINE DE VEAU FARCIE

POUR 4 PERSONNES

1 poitrine de veau désossée
d'environ 1 kg (2 lb)

sel

poivre

1 petit pain rassis

1 oignon

1 gousse d'ail

325 ml (1½ t.) de
champignons de Paris

150 g (5 onces) de lard
maigre

15 ml (1 c. à s.) de beurre

250 g (½ lb) de différentes
viandes hachées

15 ml (1 c. à s.) de persil
frais haché

30 ml (2 c. à s.) de beurre

100 ml (⅜ t.) de bouillon

150 ml (⅔ t.) de vin blanc

100 ml (⅜ t.) de crème
à 35 %

**Préparation : 20 minutes
+ temps de trempage
+ temps de cuisson**

1 Frotter de sel et de poivre l'intérieur et l'extérieur de la poitrine de veau. Faire tremper le pain 10 minutes dans l'eau. Peler l'oignon et l'ail, et hacher. Brosser les champignons et hacher. Détailler le lard en dés.

2 Dans une poêle, chauffer le beurre, ajouter le lard, l'oignon, les champignons et l'ail, et faire revenir. Saler, poivrer et incorporer le persil. Incorporer le tout à la viande hachée et farcir la poitrine. Ficeler avec de la ficelle à rôti.

3 Préchauffer le four à 180 °C (350 °F). Dans une sauteuse, chauffer le beurre, ajouter la viande et faire revenir jusqu'à ce qu'elle soit uniformément dorée. Mouiller avec le bouillon et cuire au four 1 h 45. Retirer la poitrine du plat, arroser de vin et incorporer la crème. Servir accompagné d'un gratin de pommes de terre.

FILET DE PORC EN CROÛTE D'HERBES

1 Découper 12 tranches dans le filet, envelopper de film alimentaire et les attendrir. Saler, poivrer et fariner.

2 Casser les œufs dans une assiette et bien battre. Mélanger les herbes dans une autre assiette. Passer les tranches de porc dans les œufs battus et dans les herbes.

3 Dans une poêle, chauffer le beurre, ajouter les escalopes et faire revenir 6 minutes de chaque côté. Servir accompagné d'un gratin de pommes de terre.

POUR 4 PERSONNES

450 g (1 lb) de filet de porc
sel et poivre

60 ml (4 c. à s.) de farine

2 œufs

½ bouquet de persil frais, haché

½ bouquet de livèche, haché

15 ml (1 c. à s.) d'origan haché

15 ml (1 c. à s.) de basilic haché

45 ml (3 c. à s.) de beurre

**Préparation : 20 minutes
+ temps de cuisson**

ESCALOPES AUX PRUNEAUX

POUR 4 PERSONNES

300 ml (1¼ t.) de pruneaux

1 piment

15 ml (1 c. à s.) de beurre

30 ml (2 c. à s.) de sucre
brun

30 ml (2 c. à s.) de vinaigre
balsamique

250 ml (1 t.) de vin rouge

15 ml (1 c. à s.) de romarin
frais haché

½ pain d'épice

2 oranges, séparées
en quartiers

sel

poivre

4 escalopes de porc

125 ml (½ t.) de farine

3 œufs

100 ml (⅜ t.) de lait

45 ml (3 c. à s.) de beurre

**Préparation : 40 minutes
+ temps de cuisson**

1 Couper les pruneaux en quatre. Nettoyer le piment et hacher. Dans une casserole, faire fondre 15 ml (1 c. à soupe) de beurre, ajouter le sucre et chauffer jusqu'à ce qu'il soit caramélisé. Ajouter les pruneaux et les enrober.

2 Mouiller avec le vinaigre et le vin rouge, ajouter le piment et le romarin, et émietter le pain d'épice dans la casserole. Cuire 3 minutes à feu doux, ajouter les quartiers d'orange et rectifier l'assaisonnement.

3 Saler, poivrer et fariner les escalopes de porc. Battre les œufs avec le lait et passer la viande dans ce mélange. Dans une poêle, chauffer le beurre, ajouter le porc et cuire 4 minutes de chaque côté, jusqu'à ce qu'il soit doré. Servir les escalopes napper de sauce.

ESCALOPES DE PORC AUX POMMES

1 Peler les pommes et couper la chair en dés. Attendrir les escalopes, saler, poivrer et enduire de moutarde. Préchauffer le four à 150 °C (300 °F).

2 Fariner les escalopes. Dans une cocotte, chauffer le beurre, ajouter les escalopes et cuire 3 minutes, jusqu'à ce qu'elles soient dorées. Retirer de la cocotte et réserver au chaud.

3 Mélanger la marjolaine et la crème. Mettre les dés de pommes dans la cocotte, ajouter la crème et les escalopes, et cuire au four 30 minutes. Servir accompagné de purée de pommes de terre.

POUR 4 PERSONNES

4 pommes

4 escalopes de porc

sel

poivre

10 ml (2 c. à thé) de moutarde douce

125 ml (½ t.) de farine

45 ml (3 c. à s.) de beurre

5 ml (1 c. à thé) de marjolaine fraîche

250 ml (1 t.) de crème à 35 %

Préparation : 20 minutes + temps de cuisson

ESCALOPES DE PORC AUX OIGNONS

POUR 4 PERSONNES

4 escalopes de porc
sel
poivre
3 oignons
45 ml (3 c. à s.) de beurre
30 ml (2 c. à s.) de farine
125 ml (½ t.) de bouillon de
légumes
125 ml (½ t.) de xérès
30 ml (2 c. à s.) de
ciboulette fraîche ciselée

**Préparation : 25 minutes
+ temps de cuisson**

1 Aplatir les escalopes, saler et poivrer. Peler les oignons et couper en rondelles.

2 Dans une poêle, chauffer le beurre, ajouter les escalopes et cuire 5 minutes de chaque côté. Retirer de la poêle et réserver au chaud.

3 Ajouter les oignons dans la poêle, mélanger au jus de cuisson et faire revenir

jusqu'à ce qu'ils soient translucides. Saupoudrer de farine et mouiller avec le bouillon et le xérès.

4 Chauffer jusqu'à ce que la sauce épaississe sans cesser de remuer et ajouter la ciboulette. Servir les escalopes nappées de sauce et accompagnées de purée de pommes de terre.

ROULADES DE PORC AUX HERBES

1 Attendrir la viande, enrober de sel, de poivre et de piment de Cayenne. Peler la pomme et râper la chair. Mélanger la pomme râpée et la choucroute, répartir sur les escalopes et rouler en maintenant à l'aide de piques de bois.

2 Dans une poêle, chauffer le beurre, ajouter les roulades et faire revenir 3 minutes de chaque côté. Peler les oignons, couper en dés et faire revenir avec la viande.

3 Ajouter le concentré de tomate, mouiller avec le bouillon et mélanger. Cuire 30 minutes, retirer de la poêle et réserver au chaud.

4 Délayer la fécule de maïs dans la crème sure et ajouter au jus de cuisson. Couper les tomates en dés, ajouter à la sauce et porter à ébullition sans cesser de remuer. Saler et poivrer. Servir les roulades accompagnées de sauce et d'une purée de pommes de terre.

POUR 4 PERSONNES

4 escalopes de porc
sel
poivre
5 ml (1 c. à thé) de piment de Cayenne
1 pomme
250 ml (1 t.) de choucroute
30 ml (2 c. à s.) de beurre
1 oignon
5 ml (1 c. à thé) de concentré de tomate
250 ml (1 t.) de bouillon de légumes
5 ml (1 c. à thé) de fécule de maïs
150 ml (⅔ t.) de crème sure
16 tomates cerises

Préparation : 20 minutes + temps de cuisson

ASTUCE

On peut remplacer le bouillon de légumes par du vin blanc sec.

BOULETTES SYRIENNES AU SÉSAME

POUR 4 PERSONNES

500 ml (2 t.) de carottes
150 ml (⅔ t.) de riz
1 gousse d'ail
750 g (1½ lb) de viande
d'agneau hachée
2 œufs
sel
poivre
5 ml (1 c. à thé) de cumin
blanc
5 ml (1 c. à thé) de
coriandre en poudre
250 ml (1 t.) de graines de
sésame
noires et blanches
125 ml (½ t.) d'huile
250 ml (1 t.) de crème sure
250 ml (1 t.) de yogourt
2 ml (½ c. à thé) de harissa
15 ml (1 c. à s.) de feuilles
de mélisse fraîche hachées

**Préparation : 20 minutes
+ temps de cuisson**

1 Peler les carottes, couper en dés et blanchir à l'eau bouillante. Cuire le riz selon les instructions figurant sur le paquet.

2 Peler l'ail et hacher. Mélanger la viande, les carottes, le riz, l'ail et les œufs, saler et poivrer. Incorporer le cumin et la coriandre.

3 Façonner des boulettes et les passer dans les graines de sésame.

4 Dans une poêle, chauffer l'huile, ajouter les boulettes et faire revenir jusqu'à ce qu'elles soient dorées. Égoutter sur du papier absorbant.

5 Mélanger la crème sure, le yogourt et la harissa, incorporer les feuilles de mélisse hachées. Servir les boulettes accompagnées de sauce et de pain.

ESCALOPES VIENNOISES

POUR 4 PERSONNES

8 escalopes de veau
de 100 g (4 onces) chacune
sel
poivre
125 ml (½ t.) de farine
3 œufs
15 ml (1 c. à s.) de lait
500 ml (2 t.) de chapelure
75 ml (⅓ t.) d'huile
1 citron non traité
8 filets d'anchois
16 câpres

**Préparation : 20 minutes
+ temps de cuisson**

1 Attendrir les escalopes, saler et poivrer. Mettre la farine dans une assiette. Dans une autre assiette, casser les œufs, ajouter le lait et bien battre le tout. Mettre la chapelure dans une troisième assiette.

2 Passer les escalopes dans la farine, dans les œufs battus et dans la chapelure.

3 Dans une poêle, chauffer l'huile, ajouter la viande et cuire 3 minutes de chaque côté. Retirer de la poêle et égoutter sur du papier absorbant.

4 Rincer le citron à l'eau chaude et couper en rondelles. Garnir les escalopes de citron, de filets d'anchois et de câpres, et servir avec une salade de pommes de terre.

ASTUCE

Les escalopes de porc au lieu de veau sont dites « à la viennoise ».

VEAU À LA PARISIENNE

1 Attendrir les escalopes. Piler les grains de poivre au mortier. Frotter les escalopes de sel, de poivre pilé et de sauce Worcestershire, et laisser reposer quelques minutes.

2 Casser les œufs dans une assiette et bien battre. Tamiser la farine dans une autre assiette. Passer les escalopes dans la farine, puis dans l'œuf.

3 Dans une poêle, chauffer le beurre, ajouter les escalopes et faire revenir 3 à 4 minutes de chaque côté.

4 Passer le citron sous l'eau chaude et couper en rondelles. Garnir les escalopes de citron et d'un peu de persil, servir avec des légumes et des frites.

POUR 4 PERSONNES

8 petites escalopes de veau
10 grains de poivre noir
sel
30 ml (2 c. à s.) de sauce Worcestershire
2 œufs
90 ml (6 c. à s.) de farine
60 ml (4 c. à s.) de beurre
1 citron
2 brins de persil

**Préparation : 20 minutes
+ temps de repos
+ temps de cuisson**

SALTIMBOCCA ALLA ROMANA

POUR 4 PERSONNES

8 petites escalopes de veau

sel

poivre

8 petites tranches
de jambon cru

8 feuilles de sauge fraîche

30 ml (2 c. à s.) d'huile

125 ml (½ t.) de bouillon

125 ml (½ t.) de vin blanc

15 ml (1 c. à s.) de jus
de citron

30 ml (2 c. à s.) de crème
à 35 %

**Préparation : 20 minutes
+ temps de cuisson**

1 Attendrir les escalopes, saler et poivrer. Déposer une tranche de jambon et une feuille de sauge sur chaque escalope, replier l'escalope et fixer à l'aide d'un pique à cocktail.

2 Dans une poêle, chauffer l'huile, ajouter les escalopes et faire revenir 4 minutes de chaque côté. Retirer de la poêle et réserver au chaud.

3 Déglacer le jus de cuisson avec le bouillon et le vin, porter à ébullition et ajouter le jus de citron, la crème et le poivre. Servir la saltimbocca avec la sauce et des pâtes.

ESCALOPES DE VEAU AU CITRON

1 Attendrir les escalopes, saler et poivrer. Laver le citron à l'eau chaude, râper le zeste, peler le fruit à vif et couper en rondelles.

2 Déposer une tranche de citron sur chaque escalope, replier l'escalope et maintenir à l'aide d'un pique à cocktail. Tamiser la farine dans une assiette, casser les œufs dans une autre assiette et mettre la chapelure dans une troisième assiette. Passer les escalopes dans chaque assiette. Dans une poêle, faire fondre le beurre, ajouter les escalopes et faire revenir 4 à 5 minutes de chaque côté.

3 Mélanger la crème, la sauce soya et le zeste de citron râpé, ajouter dans la poêle et laisser mijoter 5 minutes. Rectifier l'assaisonnement. Servir accompagné de pommes de terre sautées et de pois mange-tout.

POUR 4 PERSONNES

4 escalopes de veau
sel
poivre
1 gros citron non traité
125 ml (½ t.) de farine
2 œufs
500 ml (2 t.) de chapelure
30 ml (2 c. à s.) de beurre
125 ml (½ t.) de crème à 35 %
45 ml (3 c. à s.) de sauce soya

Préparation : 25 minutes + temps de cuisson

ASTUCE

Pour une garniture plus exotique, remplacer les rondelles de citron par des feuilles de lime kaffir.

135

CHEVREUIL FLAMBÉ

POUR 4 PERSONNES

4 escalopes de chevreuil
de 150 g (6 onces) chacune

30 ml (2 c. à s.) d'huile
de pépins de raisin

15 ml (1 c. à s.) de romarin
frais haché

2 kiwis

15 ml (1 c. à s.) de beurre

4 noix de Grenoble

2 ml (½ c. à thé) de sel

2 ml (½ c. à thé) de poivre

30 ml (2 c. à s.) de cognac

**Préparation : 20 minutes
+ temps de macération
+ temps de cuisson**

1 Retirer la peau et les tendons des escalopes, enduire d'huile et parsemer de romarin. Superposer les escalopes, envelopper de pellicule plastique et laisser mariner 2 heures au réfrigérateur.

2 Peler les kiwis, couper en rondelles et poêler rapidement au beurre chaud. Hacher les noix.

3 Chauffer une poêle, ajouter la viande et faire revenir 3 minutes de chaque côté. Saler, poivrer et répartir dans des assiettes. Garnir la viande de tranches de kiwis et de noix.

4 Verser le cognac dans une louche et le chauffer au-dessus d'une flamme. Arroser immédiatement les escalopes, flamber et servir accompagné de pommes duchesse.

AGNEAU FARCI

1 Attendrir les filets et frotter de sel et de poivre. Dénoyauter les olives et hacher. Inciser les tomates en croix, blanchir à l'eau bouillante et monder. Épépiner et couper en dés. Couper le fromage en dés.

2 Mélanger les olives, les tomates et le fromage, ajouter les herbes et garnir la moitié de chaque filet avec le mélange obtenu. Replier et maintenir à l'aide d'un pique à cocktail.

3 Dans une poêle, chauffer le beurre, ajouter les filets et faire revenir 5 minutes de chaque côté. Mouiller avec le vin rouge, couvrir et laisser mijoter 20 à 30 minutes selon l'épaisseur de la viande. Retirer de la poêle et réserver au chaud.

4 Déglacer le jus de cuisson avec la metaxa et porter à ébullition. Ajouter la crème et chauffer jusqu'à ce que la sauce ait épaissi. Servir l'agneau farci nappé de sauce et accompagné de pommes de terre au four.

POUR 4 PERSONNES

4 filets d'agneau

sel, poivre

125 ml (½ t.) d'olives noires

150 ml (⅔ t.) de tomates

100 g (3 onces) de fromage de brebis

5 ml (1 c. à thé) de thym haché

5 ml (1 c. à thé) d'origan frais haché

45 ml (3 c. à s.) de beurre

250 ml (1 t.) de vin rouge

20 ml (1½ c. à s.) de metaxa

100 ml (⅜ t.) de crème à 35 %

Préparation : 30 minutes + temps de cuisson

ASTUCE

La metaxa peut être remplacée par du cognac.

137

GÂTEAU DE POMMES DE TERRE FARCI

POUR 4 PERSONNES

5 à 6 pommes de terre

2 jaunes d'œufs

50 ml (¼ t.) de farine de froment

250 ml (1 t.) de chapelure

5 ml (1 c. à thé) de fécule de maïs

sel

poivre

noix de muscade, râpée

1 petit pain de la veille

50 g (2 onces) de lard maigre

1 oignon

15 ml (1 c. à s.) d'huile

250 g (½ lb) de viande de bœuf hachée

15 ml (1 c. à s.) de cerfeuil frais haché

1 œuf

100 g (4 onces) de fromage frais

5 ml (1 c. à thé) de paprika doux

farine

45 ml (4 c. à s.) de beurre

**Préparation : 30 minutes
+ temps de cuisson**

1 Cuire les pommes de terre avec leur peau 20 minutes à l'eau bouillante salée. Égoutter, peler et réduire en purée.

2 Laisser tiédir la purée, incorporer les jaunes d'œufs, la farine, la chapelure, la fécule de maïs et les épices, et mélanger jusqu'à obtention d'une pâte lisse.

3 Faire tremper le pain 10 minutes dans l'eau, égoutter et presser de façon à exprimer l'excédent d'eau. Couper le lard en dés. Peler l'oignon et couper en dés.

4 Dans une poêle, chauffer l'huile, ajouter le lard et l'oignon, et faire revenir. Ajouter la viande hachée, cuire jusqu'à ce qu'elle soit dorée et transférer dans une terrine. Ajouter le pain, le cerfeuil, l'œuf et le fromage. Saler, poivrer et incorporer le paprika.

5 Sur un torchon fariné, abaisser la pâte en un carré de 1 cm (⅜ po) d'épaisseur. Garnir de farce, rouler à l'aide du torchon et couper en rondelles.

6 Dans une poêle, chauffer le beurre, ajouter les rondelles et faire revenir jusqu'à ce qu'elles soient croustillantes. Servir très chaud accompagné de salade.

ESCALOPES AUX POUSSES DE SOYA

POUR 4 PERSONNES

4 escalopes de porc
sel
poivre
5 ml (1 c. à thé) de curcuma
250 ml (1 t.) de pousses de soya
2 tranches d'ananas
50 g (2 onces) de tofu
1 piment rouge
45 ml (3 c. à s.) d'huile
250 ml (1 t.) de bouillon de légumes
15 ml (1 c. à s.) de sauce soya
125 ml (½ t.) de crème à 35 %

Préparation : 25 minutes + temps de cuisson

1 Attendrir les escalopes et enrober de sel, de poivre et de curcuma. Laver le soya et égoutter. Couper l'ananas et le tofu en dés. Nettoyer le piment, épépiner et hacher menu.

2 Dans une poêle, chauffer 5 ml (1 c. à thé) d'huile, ajouter le tofu et faire revenir jusqu'à ce qu'il soit doré. Ajouter les pousses de soya, l'ananas et le piment, et cuire 1 minute. Répartir cette farce sur les escalopes, plier en deux et maintenir à l'aide d'un pique à cocktail.

3 Rincer la poêle, chauffer l'huile restante, ajouter les escalopes et cuire 4 minutes, jusqu'à ce qu'elles soient uniformément dorées. Mouiller avec le bouillon, couvrir et laisser mijoter 15 minutes. Retirer la viande de la poêle et réserver au chaud.

4 Incorporer la sauce soya et la crème au jus de cuisson, chauffer jusqu'à ce que le mélange réduise légèrement, saler et poivrer. Accompagner les escalopes de sauce et de riz.

FILETS D'AGNEAU AUX ASPERGES VERTES

1 Blanchir les asperges 5 minutes à l'eau bouillante et réserver au chaud. Saler et poivrer les filets d'agneau. Peler l'ail et hacher menu.

2 Dans une poêle, chauffer 45 ml (3 c. à soupe) de beurre, ajouter l'agneau et faire revenir 3 minutes de chaque côté. Retirer de la poêle et réserver au chaud.

3 Mettre l'ail dans la poêle, mouiller avec le vin, laisser réduire un peu et incorporer le beurre restant. Répartir les asperges et la viande dans des assiettes, napper de sauce et garnir de feuilles de sauge. Servir accompagné de pommes de terre à la bernoise.

POUR 4 PERSONNES

500 g (1 lb) de pointes d'asperges vertes (environ 24)

sel

4 filets d'agneau de 100 g (4 onces) chacun

poivre

3 gousses d'ail

75 ml (5 c. à s.) de beurre

125 ml (½ t.) de vin blanc

30 ml (2 c. à s.) de feuilles de sauge fraîches

Préparation : 20 minutes + temps de cuisson

VOLAILLES

Il est peu de denrées qui se prêtent
à des préparations aussi variées
que la volaille. Faites-en l'expérience
en testant notre éventail complet
de recettes, des escalopes de dinde
aux griottes à la dinde rôtie.

ESCALOPES DE DINDE AUX GRIOTTES

1 Attendrir les escalopes, saler et poivrer.

2 Égoutter les griottes en prenant soin de recueillir le jus.

3 Dans une poêle, chauffer l'huile, ajouter la dinde et cuire 4 minutes de chaque côté. Retirer de la poêle et réserver au chaud.

4 Déglacer le jus de cuisson avec le vinaigre, incorporer le sucre et mouiller avec le vin et le kirsch. Laisser mijoter 3 minutes à feu doux, ajouter la moitié du jus de griottes et les cerises, et mélanger.

5 Incorporer le beurre froid à la sauce, saler et poivrer. Servir la dinde accompagnée de sauce aux griottes et de pommes de terre à la bernoise.

POUR 4 PERSONNES

4 escalopes de dinde
sel
poivre
250 ml (1 t.) de griottes en boîte
45 ml (3 c. à s.) de beurre, froid
45 ml (3 c. à s.) d'huile
30 ml (2 c. à s.) de vinaigre de vin rouge
15 ml (1 c. à s.) de sucre brun
125 ml (½ t.) de vin rouge
15 ml (1 c. à s.) de kirsch

Préparation : 25 minutes + temps de cuisson

AILES DE POULET

POUR 4 PERSONNES

1 kg (2 lb) d'ailes de poulet

45 ml (3 c. à s.) de beurre fondu

5 ml (1 c. à thé) de paprika

5 ml (1 c. à thé) de Tabasco

5 ml (1 c. à thé) de jus de citron

1 gousse d'ail

125 ml (½ t.) de bleu

50 ml (¼ t.) de crème à 35 %

50 ml (¼ t.) de mayonnaise

150 ml (⅔ t.) de yogourt

15 ml (1 c. à s.) de jus de citron

poivre

sucre

**Préparation : 20 minutes
+ temps de cuisson**

1 Laver les ailes de poulet, sécher et couper à la jointure. Mélanger le beurre fondu, le paprika, le Tabasco et le jus de citron.

2 Ajouter la viande au mélange précédent et laisser reposer quelques instants. Chauffer un gril en fonte, ajouter les ailes et cuire en retournant de temps en temps jusqu'à ce qu'elles soient croustillantes. Retirer les ailes et réserver au chaud.

3 Peler l'ail et hacher menu. Écraser le fromage à l'aide d'une fourchette, incorporer l'ail, la crème, le yogourt, la mayonnaise et le jus de cuisson. Poivrer et ajouter 1 pincée de sucre. Servir les ailes de poulet avec la sauce.

ESCALOPES CAPRESE

1 Peler l'oignon et couper en anneaux. Peler l'ail et hacher. Laver les tomates et couper en rondelles. Mélanger l'oignon, les tomates et la moitié de l'ail. Mélanger l'huile, le vinaigre et l'ail, saler, poivrer et ajouter au mélange précédent.

2 Attendrir les escalopes de poulet, saler et poivrer. Tamiser la farine dans une assiette. Casser les œufs dans une autre assiette, ajouter le lait et bien battre. Mettre la chapelure dans une troisième assiette. Passer les escalopes dans la farine, les œufs et la chapelure.

3 Dans une poêle, chauffer le beurre, ajouter les escalopes et faire revenir 5 minutes de chaque côté. Couper la mozzarella en tranches et répartir dans des assiettes avec la salade de tomates. Ajouter les escalopes et garnir de feuilles de basilic.

POUR 4 PERSONNES

1 oignon
2 gousses d'ail
6 tomates
45 ml (3 c. à s.) d'huile d'olive
45 ml (3 c. à s.) de vinaigre balsamique
4 escalopes de poulet
125 ml (½ t.) de farine
3 œufs
15 ml (1 c. à s.) de lait
500 ml (2 t.) de chapelure
45 ml (3 c. à s.) de beurre
400 g (1 lb) de mozzarella
basilic, pour la garniture

**Préparation : 25 minutes
+ temps de cuisson**

FILETS DE POULET AU CITRON

POUR 4 PERSONNES

6 filets de poulet

sel

poivre

15 ml (1 c. à s.) de paprika doux

75 ml (⅓ t.) de farine

125 ml (½ t.) de beurre

½ bouquet de persil plat frais haché

5 ml (1 c. à thé) d'estragon séché

75 ml (5 c. à s.) de jus de citron

1 citron

Préparation : 20 minutes + temps de cuisson

1 Ôter la peau et les tendons des filets de poulet et les attendrir. Frotter avec du sel, du poivre et du paprika, et fariner.

2 Dans une poêle, chauffer 30 ml (2 c. à soupe) de beurre, ajouter les filets et faire revenir 5 minutes de chaque côté, jusqu'à ce qu'ils soient cuits à cœur. Réserver au chaud.

3 Dans une casserole, faire fondre le beurre restant, ajouter les herbes et le jus de citron, et porter à ébullition. Rincer le citron à l'eau chaude et couper en rondelles. Servir la viande sur un lit de sauce, garnie de rondelles de citron et accompagnée de riz.

148

ESCALOPES DE DINDE SAUCE CIBOULETTE

POUR 4 PERSONNES

4 échalotes

250 ml de bouillon
de volaille

4 escalopes de dinde

50 ml (¼ t.) de farine

30 ml (2 c. à s.) de beurre

sel

poivre

60 ml (¼ t.) de vin blanc

45 ml (3 c. à s.) de crème
à 35 %

1 botte de ciboulette

jus de 1 citron non traité

15 ml (1 c. à s.) de beurre

**Préparation : 20 minutes
+ temps de cuisson**

1 Peler les échalotes et hacher. Porter le bouillon à ébullition et ajouter les échalotes. Cuire jusqu'à ce que le liquide ait réduit de moitié et filtrer. Fariner les escalopes des deux côtés.

2 Dans une poêle, chauffer 30 ml (2 c. à soupe) de beurre, ajouter la viande et faire revenir 2 minutes de chaque côté. Saler, poivrer et retirer de la poêle. Réserver au chaud.

3 Déglacer le jus de cuisson avec le bouillon, mouiller avec le vin et chauffer jusqu'à ce que la sauce ait réduit. Incorporer la crème. Laver la ciboulette, hacher et ajouter à la sauce. Saler, poivrer et ajouter le jus de citron. Incorporer le beurre, napper les escalopes de sauce et servir accompagné de riz.

POULET CORDON-BLEU

1 Saler les escalopes et poivrer. Mélanger le fromage, le poivre vert, le jus de citron et 30 ml (2 c. à soupe) de crème. Incorporer la moitié de la ciboulette hachée.

2 Garnir chaque escalope de 30 ml (2 c. à soupe) de sauce ; recouvrir d'une tranche de bacon, replier et maintenir à l'aide d'un pique.

3 Dans une poêle, chauffer l'huile, ajouter la viande et faire revenir 6 à 8 minutes de chaque côté. Retirer de la poêle et réserver au chaud.

4 Mélanger la farce restante, la crème restante et le jus de cuisson, et porter à ébullition. Ajouter la ciboulette à la sauce et servir avec les escalopes et des pommes de terre sautées.

POUR 4 PERSONNES

4 escalopes de poulet épaisses
sel
poivre
500 ml (2 t.) de fromage à la crème
30 ml (2 c. à s.) de poivre vert
22 ml (1½ c. à s.) de jus de citron
175 ml (¾ t.) de crème à 35 %
1 botte de ciboulette fraîche, hachée
8 tranches de bacon
60 ml (4 c. à s.) d'huile

Préparation : 20 minutes + temps de cuisson

POULETS DE CORNOUAILLES AU PIMENT

POUR 8 PERSONNES

2 poulets de Cornouailles de
1,2 kg (2 lb) chacun

7 ml (1½ c. à s.) de poudre
de piment

7 ml (1½ c. à s.) d'origan
séché

7 ml (1½ c. à s.) de cacao
en poudre

75 ml (5 c. à s.) d'huile

45 ml (3 c. à s.) de sauce
soya

sel

**Préparation : 15 minutes
+ temps de macération
+ temps de cuisson**

1 Couper chaque poulet en quatre. Dans une terrine, mettre le piment en poudre, l'origan, le cacao, l'huile, la sauce soya et un peu de sel, et bien mélanger le tout.

2 Enduire soigneusement les quartiers de viande de marinade. Réserver la marinade au réfrigérateur.

3 Mettre les morceaux dans un sac de congélation, mettre au réfrigérateur et laisser mariner 12 heures.

4 Préchauffer le gril du four à 240 °C (475 °F) et cuire les coquelets 45 minutes.

5 Retourner plusieurs fois les morceaux et arroser de marinade en cours de cuisson. Servir accompagné de chips de tortilla.

ASTUCE

Il existe 100 variétés de piments, classés selon leur force
sur une échelle graduée de 0 à 120. La force 20 emporte déjà
la bouche des Européens : pour les palais délicats, prudence
donc dans le dosage !

ESCALOPES AUX LÉGUMES

POUR 4 PERSONNES

1 oignon

1 gousse d'ail

1 carotte

1 poivron jaune

1 petite courgette

60 ml (4 c. à s.) d'huile

15 ml (1 c. à s.) de poudre
de curry

2 ml (½ c. à thé) de piment
de Cayenne

15 ml (1 c. à s.) de miel

sel

4 escalopes de poulet

125 ml (½ t.) de crème
à 35 %

125 ml (½ t.) de bouillon
de légumes

**Préparation : 25 minutes
+ temps de cuisson**

1 Peler l'ail et l'oignon
et hacher. Nettoyer les
légumes, peler et couper
en dés. Dans une poêle,
chauffer 30 ml (2 c. à soupe)
d'huile, ajouter les légumes,
l'ail et l'oignon, et cuire
3 minutes sans cesser
de remuer. Incorporer les
épices et le miel.

2 Attendrir les escalopes,
saler et garnir chacune
d'une cuillerée à soupe de
farce aux légumes. Replier
les escalopes et fixer à l'aide
d'un pique à cocktail.

3 Dans la poêle, chauffer
l'huile restante, ajouter
les escalopes et faire revenir
3 minutes de chaque côté.
Retirer de la poêle. Déglacer
le jus de cuisson avec la
crème et le bouillon, porter
à ébullition et laisser réduire.
Incorporer les légumes restants
dans la poêle, remettre les
escalopes et laisser mijoter
encore 5 minutes. Servir les
escalopes dans leur sauce.

ESCALOPES DE DINDE AUX TOMATES

1 Mélanger l'huile,
l'eau-de-vie de raisin
et les épices, ajouter les
escalopes et laisser mariner
10 minutes. Préchauffer
le gril du four.

2 Laver les tomates et couper
en rondelles. Saler, poivrer
et garnir chaque rondelle
d'un soupçon de beurre.

3 Retirer les escalopes
de la marinade, sécher
et passer au gril 5 minutes
de chaque côté avec les
tomates.

4 Répartir les escalopes
et les tomates dans des
assiettes, ajouter 1 cuillerée
à soupe de chutney et garnir
de grains de poivre rouge.

POUR 4 PERSONNES

15 ml (3 c. à s.) d'huile
15 ml (1 c. à s.) d'eau-de-
vie de raisin
sel, poivre
2 ml (½ c. à thé) de paprika
rose
4 escalopes de dinde
4 tomates
15 ml (1 c. à s.) de beurre
60 ml (4 c. à s.) de chutney
de mangue
grains de poivre rouge,
en garniture

**Préparation : 20 minutes
+ temps de macération
+ temps de cuisson**

TOASTS DE DINDE

POUR 4 PERSONNES

4 escalopes de dinde

sel

poivre

125 ml (½ t.) de farine

3 œufs

15 ml (1 c. à s.) de lait

500 ml (2 t.) de chapelure

375 ml (1½ t.) de pleurotes

2 oignons verts

45 ml (3 c. à s.) de beurre

30 ml (2 c. à s.) de crème à 35 %

15 ml (1 c. à s.) de cerfeuil frais haché

2 tomates

8 tranches de pain complet

125 ml (½ t.) de gouda, coupé en tranches

Préparation : 20 minutes + temps de cuisson

1 Attendrir les escalopes, saler, poivrer et couper en deux. Tamiser la farine dans une assiette. Dans une autre assiette, casser les œufs, ajouter le lait et bien battre. Mettre la chapelure dans une troisième assiette. Passer les escalopes dans la farine puis les œufs et enfin dans la chapelure.

2 Brosser les champignons et émincer. Laver les oignons verts et couper en rondelles. Préchauffer le four à 200 °C (400 °F).

3 Dans une poêle, chauffer 30 ml (2 c. à soupe) de beurre, ajouter la viande et faire revenir 5 minutes de chaque côté. Retirer de la poêle. Chauffer le beurre restant dans la poêle, ajouter les oignons et les champignons, et faire revenir. Incorporer la crème et le cerfeuil, saler et poivrer.

4 Laver les tomates et couper la chair en rondelles. Poser les toasts sur une grille, garnir chacun d'une moitié d'escalope et ajouter 1 rondelle de tomate, des champignons en sauce et 1 tranche de gouda. Cuire au four 15 minutes, jusqu'à ce que les toasts soient dorés.

ESCALOPES AU PIMENT ET À L'AIL

POUR 4 PERSONNES

4 escalopes de poulet
sel
poivre
4 gousses d'ail
1 piment rouge
30 ml (2 c. à s.) de beurre
150 ml (⅔ t.) de vin blanc
125 ml (½ t.) de crème
à 35 %
huile pimentée

**Préparation : 20 minutes
+ temps de cuisson**

1 Attendrir les escalopes, saler et poivrer. Peler l'ail et hacher menu. Peler le piment, épépiner et hacher finement.

2 Dans une poêle, chauffer le beurre, ajouter l'ail et le piment, et faire revenir. Ajouter les escalopes et cuire 4 à 5 minutes de chaque côté, jusqu'à ce qu'elles soient saisies.

3 Incorporer le vin et la crème, et cuire 6 à 7 minutes à feu doux, jusqu'à ce que la préparation réduise légèrement. Servir les escalopes au piment nappées de sauce et arrosées d'un peu d'huile pimentée. Proposer des frites et de la salade en accompagnement.

ROULADES DE DINDE AU PESTO

1 Attendrir les escalopes, napper de pesto et rouler en maintenant à l'aide d'un pique à coctkail.

2 Dans une poêle, chauffer l'huile, ajouter les roulades et faire revenir. Mouiller avec le bouillon et cuire 12 minutes à feu doux.

3 Couper éventuellement les roulades en tranches, garnir de basilic et servir accompagné de pain frais et de salade.

POUR 4 PERSONNES

4 escalopes de dinde

125 ml (½ t.) de pesto en bocal

30 ml (2 c. à s.) d'huile d'olive

125 ml (½ t.) de bouillon de légumes

feuilles de basilic, en garniture

Préparation : 15 minutes + temps de cuisson

ASTUCE

On peut préparer soi-même le pesto avec toutes sortes d'herbes et d'épices.

159

DINDE RÔTIE

POUR 8 PERSONNES

1 dinde d'environ 6 kg (13 lb)
sel
poivre
250 g (½ lb) de lard maigre
3 gros oignons
1 à 2 branches de céleri
1 bouquet de persil
50 ml (4 c. à s.) de beurre
250 ml (1 t.) de vin blanc
125 ml (½ t.) de bouillon de volaille
500 g (1 lb) de pain de maïs de la veille, coupé en dés
15 ml (1 c. à s.) de paprika doux
45 ml (3 c. à s.) de fécule de maïs
légumes, cuits à la vapeur

Préparation : 20 minutes + temps de cuisson

1 Laver soigneusement l'intérieur et l'extérieur de la dinde et frotter de sel et de poivre. Couper le lard en dés et faire griller à sec dans une poêle.

2 Peler les oignons et hacher. Nettoyer le céleri et émincer finement. Laver le persil et ciseler.

3 Ajouter les oignons, le céleri et le persil dans la poêle, incorporer le beurre et faire revenir rapidement.

4 Mouiller avec la moitié du vin et le bouillon, ajouter le pain et mélanger jusqu'à obtention d'une farce souple en veillant à ce qu'elle ne soit pas trop détrempée.

5 Préchauffer le four à 160 °C (325 °F). Garnir la dinde de farce et ficeler à l'aide de ficelle à rôti. Mettre dans un plat à rôti et cuire 4 à 5 heures au four, jusqu'à ce que la peau soit croustillante.

6 Arroser régulièrement avec le jus de cuisson et de l'eau si nécessaire. Retirer du plat et réserver au chaud.

7 Filtrer le jus de cuisson, incorporer le vin restant et porter à ébullition. Délayer la fécule de maïs dans un peu d'eau et incorporer à la préparation. Servir la dinde nappée de sauce et accompagnée de légumes cuits à la vapeur.

PÂTES

Base de l'alimentation des Italiens,
les pâtes ont la réputation sans doute
justifiée de mettre de belle humeur...
Ce qui n'a rien d'étonnant au vu
des mille et une succulentes façons
de les accommoder !

SPAGHETTIS AU PESTO ET FILETS DE POISSON

1 Dans un robot de cuisine, mettre les de pignons, 125 ml (½ t.) d'huile d'olive, l'ail et les feuilles de basilic, et réduire le tout en purée. Incorporer le parmesan, saler et poivrer.

2 Cuire les spaghettis dans de l'eau bouillante salée jusqu'à ce qu'ils soient *al dente*, rincer à l'eau froide et égoutter. Incorporer 15 ml (1 c. à soupe) d'huile d'olive.

3 Inciser les tomates en croix, blanchir à l'eau bouillante et peler. Épépiner et couper en dés. Saler et poivrer les filets de poisson. Dans une poêle, chauffer l'huile d'olive restante, ajouter les filets et cuire jusqu'à ce qu'ils soient uniformément dorés.

4 Réchauffer les spaghettis, incorporer le pesto et répartir dans des assiettes chaudes. Parsemer de dés de tomates, garnir d'un filet de poisson et parsemer de basilic.

POUR 4 PERSONNES

175 ml (¾ t.) de pignons

125 ml (½ t.) d'huile d'olive

3 gousses d'ail, pelées

250 ml (1 t.) de feuilles de basilic

125 ml (½ t.) de parmesan, râpé

sel

poivre

400 g (1 lb) de spaghettis

250 ml (1 t.) de tomates

400 g (1 lb) de filets de loup de mer, de flétan ou de sole

basilic, en garniture

Préparation : 25 minutes + temps de cuisson

SPÄTZLE AUX BOULETTES

POUR 4 PERSONNES

2 oignons

6 à 7 champignons de Paris

200 g (½ lb) de bœuf haché

½ bouquet de persil frais, haché

15 ml (1 c. à s.) de pecorino, râpé

30 ml (2 c. à s.) de concentré de tomate

1 ml (¼ c. à thé) de paprika rose

1 gousse d'ail

45 ml (3 c. à s.) d'huile

375 ml (1½ t.) de tomates en boîte

400 g (1 lb) de spätzle

basilic, pour garnir

**Préparation : 25 minutes
+ temps de cuisson**

1 Peler les oignons et hacher. Nettoyer les champignons et hacher. Mélanger la viande hachée, 1 oignon, le persil, les champignons, le fromage et le concentré de tomate, saler et poivrer. Incorporer le paprika et façonner des boulettes. Dans une poêle, chauffer 15 ml (1 c. à soupe) d'huile, ajouter les boulettes et faire revenir jusqu'à ce qu'elles soient dorées. Retirer de la poêle et réserver au chaud.

2 Peler l'ail et hacher. Ajouter l'ail et l'oignon restant à l'huile restée dans la poêle et faire revenir. Incorporer les tomates avec leur jus, saler et poivrer.

3 Cuire les spätzle dans de l'eau bouillante salée jusqu'à ce qu'elles soient *al dente*, égoutter et ajouter à la sauce. Répartir le tout dans des assiettes, ajouter les boulettes et garnir de basilic.

GRATIN DE MACARONIS AU HACHIS D'AGNEAU

1 Laver les haricots verts et couper en tronçons. Peler les carottes et émincer en lanières. Peler les oignons et l'ail, et hacher. Dans une poêle, chauffer l'huile, ajouter l'ail et les oignons, et faire revenir jusqu'à ce qu'ils soient translucides. Ajouter la viande hachée et faire revenir.

2 Ajouter les carottes et les haricots, mouiller avec le vin et laisser mijoter le tout 15 minutes. Saler, poivrer et incorporer les herbes.

3 Préchauffer le four à 190 °C (375 °F). Cuire les macaronis dans de l'eau bouillante salée jusqu'à ce qu'ils soient *al dente* et égoutter.

4 Répartir les macaronis et la préparation à base de viande hachée dans un plat à gratin graissé. Battre les œufs, la crème et le yogourt, et napper le gratin. Parsemer de fromage et cuire au four 35 minutes, jusqu'à ce que le gratin soit doré.

POUR 4 PERSONNES

500 ml (2 t.) de haricots verts

250 ml (1 t.) de carottes

2 oignons

1 gousse d'ail

45 ml (3 c. à s.) d'huile d'olive

450 g (1 lb) d'agneau haché

300 ml (1¼ t.) de vin blanc

sel

poivre

½ bouquet de coriandre fraîche, hachée

½ bouquet de persil frais, haché

400 g (1 lb) de macaronis

250 ml (1 t.) de yogourt

250 ml (1 t.) de crème à 35 %

3 œufs

250 ml (1 t.) de parmesan, râpé

Préparation : 20 minutes + temps de cuisson

167

TAGLIATELLES ET LEUR SAUCE AU CITRON

POUR 4 PERSONNES

1 citron non traité
4 à 6 feuilles de sauge
90 ml (6 c. à s.) d'huile
d'olive
30 ml (2 c. à s.) de farine
250 ml (1 t.) de lait
250 ml (1 t.) de bouillon
de légumes
400 g (1 lb) de tagliatelles
sel
125 ml (½ t.) de crème
à 35 %
2 jaunes d'œufs
poivre
rondelles de citron, zeste
et feuilles de sauge,
en garniture

Préparation : 25 minutes

1 Passer le citron sous l'eau chaude. Recueillir le zeste du citron à l'aide d'un zesteur ou peler le citron et en détailler de fines lanières. Presser le jus du citron.

2 Laver les feuilles de sauge, sécher et couper en fines lanières. Dans une poêle, chauffer l'huile, ajouter la sauge et faire frire 2 à 3 minutes. Retirer de la poêle à l'aide d'une écumoire. Ajouter la farine dans l'huile chaude, incorporer 60 ml (4 c. à soupe) de jus de citron, la moitié du zeste, le lait et le bouillon, et cuire 10 minutes à feu doux sans cesser de remuer.

3 Cuire les tagliatelles dans de l'eau bouillante salée jusqu'à ce qu'elles soient *al dente*. Mélanger les jaunes d'œufs et la crème, verser dans la sauce chaude et retirer du feu. Poivrer et saler la sauce

4 Égoutter les pâtes, répartir dans des assiettes et napper de sauce. Garnir de rondelles de citron, de zeste et de feuilles de sauge.

MACARONIS AUX ÉPINARDS

POUR 4 PERSONNES

400 g (1 lb) de macaronis

sel

1 kg (2 lb) de feuilles
d'épinard

1 oignon

30 ml (2 c. à s.) d'huile
de tournesol

300 g (½ lb) de viande de
bœuf haché

150 ml (⅔ t.) de vin blanc

500 ml (2 t.) de fromage
de brebis, émietté

poivre

3 œufs

250 ml (1 t.) de crème
à 35 %

5 ml (1 c. à thé) de paprika
doux

60 ml (4 c. à s.) de pignons

**Préparation : 20 minutes
+ temps de cuisson**

1 Cuire les macaronis
dans de l'eau bouillante
salée jusqu'à ce qu'ils soient
al dente. Trier les épinards
et nettoyer. Verser un peu
d'eau dans une casserole,
ajouter les épinards et cuire
à feu moyen jusqu'à ce qu'ils
soient flétris. Hacher menu.

2 Peler l'oignon et couper
en dés. Dans une poêle,
chauffer l'huile, ajouter l'oignon
et faire revenir jusqu'à ce
qu'il soit translucide. Ajouter
la viande hachée, mouiller
avec le vin et cuire jusqu'à

ce que la préparation ait réduit
un peu. Incorporer les épinards
et le fromage de brebis,
saler et poivrer. Incorporer
la préparation aux pâtes.

3 Préchauffer le four à 180 °C
(350 °F). Battre les œufs
avec la crème et ajouter le
paprika. Graisser
un plat à gratin, répartir
la préparation à base
de marcaronis et arroser
du mélange à base d'œufs.
Parsemer de pignons
et cuire au four 30 minutes.

GRATIN AUX MACARONIS ET AU JAMBON

1 Cuire les macaronis dans de l'eau bouillante salée jusqu'à ce qu'ils soient *al dente* et égoutter.

2 Préchauffer le four à 220 °C (425 °F). Couper le jambon en dés et râper le gouda. Dans une casserole, verser la sauce Alfredo et le lait, porter à ébullition et incorporer le fromage.

Saler et poivrer. Répartir les pâtes dans un plat à gratin graissé en alternant avec le jambon et la sauce.

3 Parsemer de fromage et cuire au four 20 minutes. Parsemer de ciboulette et servir immédiatement.

POUR 4 PERSONNES

1,25 l (5 t.) de macaronis
sel
200 g (½ lb) de jambon blanc
500 ml (2 t.) de fromage râpé
250 ml (1 t.) de sauce Alfredo prête à l'emploi
150 ml (⅔ t.) de lait
250 ml (1 t.) de fromage à la crème
poivre
45 ml (3 c. à s.) de ciboulette hachée

**Préparation : 20 minutes
+ temps de cuisson**

171

GRATIN DE TORTELLINIS AUX COURGETTES

POUR 4 PERSONNES

2,5 l (10 t.) de tortellinis
sel
poivre
1 l (4 t.) de courgettes
45 ml (3 c. à s.) de beurre
2 gousses d'ail
3 œufs
250 ml (1 t.) de lait
250 ml (1 t.) de parmesan,
fraîchement râpé
noix muscade,
fraîchement râpée

**Préparation : 20 minutes
+ temps de cuisson**

1 Cuire les tortellinis dans de l'eau bouillante salée jusqu'à ce qu'ils soient *al dente* et égoutter. Préchauffer le four à 220 °C (425 °F).

2 Laver les courgettes, préparer et râper grossièrement.

3 Dans une poêle, chauffer 30 ml (2 c. à soupe) de beurre, ajouter les courgettes et cuire 5 minutes à feu vif. Peler l'ail, hacher et ajouter dans la poêle. Saler.

4 Graisser un plat à gratin avec le beurre restant. Répartir les courgettes dans le plat et garnir de pâtes.

5 Battre les œufs et le lait, et incorporer le parmesan. Saler, poivrer et incorporer de la noix muscade. Napper le gratin du mélange obtenu et cuire au four 15 minutes, jusqu'à ce que le gratin soit bien doré.

RAVIOLIS ANTIPASTI

POUR 4 PERSONNES

2 l (8 tasses) de raviolis
verts frais farcis au fromage

sel

poivre

250 ml (1 t.) de tomates
pelées en boîte

500 ml (2 t.) d'un mélange
d'antipasti (légumes
marinés en bocal)

500 ml (2 t.) de cheddar,
coupé en copeaux

1 à 2 gouttes d'extrait
d'amande

sauge séchée

75 ml (⅓ t.) d'amandes
effilées

noix de beurre

Préparation : 25 minutes

1 Cuire les raviolis dans
de l'eau bouillante salée
jusqu'à ce qu'ils soient
al dente. Préchauffer le four
à 200 °C (400 °F).

2 Réchauffer les tomates
et leur jus, les légumes
marinés, le cheddar et
l'extrait d'amande sans cesser
de remuer jusqu'à ce que le
cheddar soit légèrement
fondu. Saler, poivrer et ajouter
de la sauge.

3 Répartir les raviolis dans
un plat à gratin graissé.

4 Ajouter le mélange à base
d'antipasti, parsemer
le tout d'amandes effilées
et garnir de noix de beurre.
Cuire au four 5 à 6 minutes.

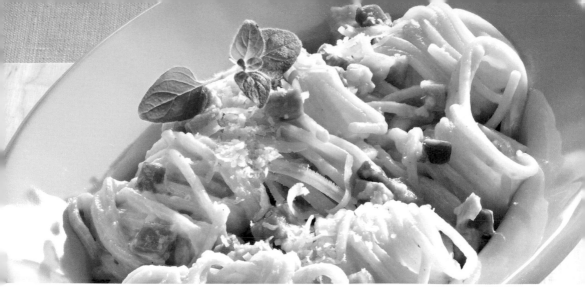

SPAGHETTIS À LA CARBONARA

1 Couper la pancetta et le jambon en dés. Peler l'ail et hacher finement. Dans une poêle, faire fondre le beurre, ajouter les dés de pancetta et faire revenir. Ajouter l'ail et cuire 3 minutes à feu doux.

2 Cuire les spaghettis dans de l'eau bouillante salée jusqu'à ce qu'ils soient *al dente*, égoutter et ajouter au lard dans la poêle.

3 Râper le parmesan et le pecorino. Battre les œufs avec la crème et la moitié des deux fromages, saler et poivrer. Incorporer le jambon blanc. Ajouter le mélange obtenu aux spaghettis et mélanger jusqu'à ce que les œufs commencent à prendre.

4 Incorporer le fromage restant et servir aussitôt.

POUR 4 PERSONNES

50 g (2 onces) de pancetta

100 g (4 onces) de jambon cuit

1 gousse d'ail

30 ml (2 c. à s.) de beurre

400 g (1 lb) de spaghettis

sel

poivre

3 œufs

125 ml (½ t.) de crème à 35 %

75 ml (⅓ t.) de parmesan

75 ml (⅓ t.) de pecorino

Préparation : 20 minutes + temps de cuisson

RAGOÛT DE GIBIER AUX PÂTES

POUR 4 PERSONNES

250 g (½ lb) de chevreuil

1 oignon

1 carotte

1 l (4 t.) de chou blanc

½ bouquet de ciboulette

15 ml (1 c. à s.) de beurre

100 g (4 onces) de lard,
coupé en dés

250 ml (1 t.) de vin blanc
sec

125 ml (½ t.) de bouillon de
gibier

15 ml (1 c. à s.) de
concentré de tomate

15 ml (1 c. à s.) de thym
séché

sel

poivre

5 ml (1 c. à thé) de piment
en poudre

2 l (8 t.) de rigatonis

**Préparation : 25 minutes
+ temps de cuisson**

1 Laver la viande, essuyer et passer dans un hachoir. Peler l'oignon et couper en dés. Peler la carotte et couper en rondelles. Laver le chou blanc, retirer le cœur et émincer les feuilles. Laver la ciboulette, sécher et ciseler.

2 Dans une poêle, chauffer le beurre, ajouter le lard et faire revenir. Ajouter l'oignon et cuire jusqu'à ce qu'il soit translucide. Ajouter la viande et faire revenir à feu vif. Ajouter la carotte et le chou blanc, et mélanger le tout.

3 Mélanger le vin rouge au bouillon, verser dans la poêle et ajouter le concentré de tomate, le thym, le piment, du sel et du poivrer. Cuire 15 minutes à feu moyen.

4 Cuire les rigatonis dans de l'eau bouillante salée jusqu'à ce qu'ils soient *al dente* et égoutter. Répartir dans des assiettes chaudes, garnir de ragoût et parsemer de ciboulette.

SPAGHETTIS À L'AIL ET À L'HUILE

POUR 4 PERSONNES

400 g (1 lb) de spaghettis
sel
5 gousses d'ail
1 bouquet de persil plat
½ poivron frais
60 ml (¼ t.) d'huile d'olive
poivre
1 piment séché

Préparation : 20 minutes

1 Cuire les spaghettis dans de l'eau bouillante salée jusqu'à ce qu'ils soient *al dente* et égoutter.

2 Peler l'ail et émincer. Laver le persil, sécher et hacher finement en réservant 15 ml (1 c. à soupe). Laver le poivron, épépiner et couper en petits dés ou en fines lanières.

3 Dans une poêle, chauffer l'huile à feu doux, ajouter le poivron et faire revenir 2 minutes. Ajouter l'ail et cuire encore 1 minute sans laisser brunir. Émietter le piment et ajouter dans la poêle.

4 Incorporer les pâtes au mélange, ajouter le persil et bien mélanger le tout. Saler, poivrer et parsemer de la cuillerée à soupe de persil réservé.

SPAGHETTINI AUX ÉPINARDS

1 Nettoyer les épinards, laver et sécher. Nettoyer les piments, épépiner et hacher. Peler les gousses d'ail et hacher finement.

2 Cuire les spaghettini dans de l'eau salée jusqu'à ce qu'ils soient *al dente*.

3 Dans une poêle, chauffer l'huile, ajouter les piments et faire revenir. Ajouter l'ail et faire revenir jusqu'à ce qu'il soit translucide. Ajouter le sésame et cuire encore 2 minutes sans cesser de remuer. Ajouter les épinards et cuire jusqu'à ce qu'ils soient flétris.

4 Rincer les pâtes à l'eau froide et égoutter.

5 Incorporer les pâtes à la sauce, saler et poivrer. Répartir le tout dans des assiettes et servir immédiatement.

POUR 4 PERSONNES

2 l (8 t.) d'épinards frais
3 piments rouges
4 gousses d'ail
400 g (1 lb) de spaghettini
sel
150 ml (⅔ t.) d'huile d'olive
75 ml (⅓ t.) de graines de sésame
poivre

Préparation : 25 minutes

ASTUCE

Les graines de sésame ajoutent au plat une note particulière. Si l'on n'en dispose pas, on pourra les remplacer par des pignons grillés.

179

TAGLIATELLES AUX AUBERGINES

1 Préchauffer le four à 220 °C (425 °F). Laver les aubergines et sécher. Enduire une aubergine avec la moitié de l'huile, piquer en plusieurs endroits avec une fourchette et cuire au four 30 minutes, jusqu'à ce que la peau ait noirci. Prélever la chair et réserver. Peler l'échalote et l'ail, mettre dans un robot de cuisine et ajouter la chair d'aubergine réservée, le jus de citron et un peu d'huile d'olive, et réduire le tout en purée. Incorporer le yogourt, saler et poivrer.

2 Cuire les tagliatelles dans de l'eau bouillante salée jusqu'à ce qu'elles soient *al dente*, rincer à l'eau froide et égoutter. Émietter la ricotta. Couper la seconde aubergine en tranches. Dans une poêle, chauffer l'huile restante, ajouter les tranches d'aubergine et faire revenir des deux côtés jusqu'à ce qu'elles soient dorées.

3 Laver la ciboulette, sécher et ciseler. Mélanger les pâtes, les aubergines et le fromage. Répartir dans des assiettes chaudes, napper de sauce et garnir de ciboulette.

POUR 4 PERSONNES

2 aubergines

75 à 90 ml (5 à 6 c. à s.) d'huile

1 gousse d'ail

1 échalote

30 ml (2 c. à s.) de jus de citron

60 ml (4 c. à s.) d'huile d'olive

250 ml (1 t.) de yogourt

sel

poivre

400 g (1 lb) de tagliatelles

75 ml (⅓ t.) de ricotta

½ bouquet de ciboulette

Préparation : 20 minutes + temps de cuisson

ASTUCE

Il existe différentes variétés et teintes d'aubergines ; préférer les fruits de petite taille.

FETTUCCINES AU LARD

POUR 4 PERSONNES

100 g (4 onces) de lard frais

1 oignon

1 gousse d'ail

45 ml (3 c. à s.) d'huile d'olive

150 ml (⅔ t.) de bouillon de bœuf

15 ml (1 c. à s.) de persil frais haché

sel

poivre

4 feuilles de basilic

400 g (1 lb) de fettuccines

250 ml (1 t.) de pecorino, grossièrement râpé

Préparation : 20 minutes + temps de cuisson

1 Couper le lard en dés. Peler l'oignon et l'ail, et hacher finement. Dans une poêle, chauffer l'huile, ajouter le lard et faire revenir. Ajouter l'oignon et l'ail, et faire revenir jusqu'à ce qu'ils soient translucides.

2 Mouiller avec le bouillon, ajouter le persil, saler et poivrer. Cuire à feu doux jusqu'à ce que la préparation ait réduit de moitié.

3 Laver le basilic, sécher et hacher menu. Ajouter à la sauce et bien mélanger.

4 Cuire les fettuccines dans de l'eau bouillante salée jusqu'à ce qu'elles soient *al dente*, rincer à l'eau froide et égoutter. Répartir dans des assiettes, napper de sauce et parsemer de pecorino.

PENNES ET FOIES DE POULET

1 Laver les foies, parer et couper en morceaux de la taille d'une bouchée.

2 Cuire les pennes dans de l'eau bouillante salée jusqu'à ce qu'elles soient *al dente*, égoutter et réserver au chaud. Peler l'oignon et l'ail, et couper en dés.

3 Dans une poêle, faire fondre le beurre, ajouter l'oignon et faire revenir jusqu'à ce qu'il soit translucide.

Ajouter l'ail, les foies, le zeste d'orange et le laurier, et cuire 3 minutes sans cesser de remuer. Retirer les foies de la poêle, mouiller avec le vin et ajouter le concentré de tomate et la crème. Laisser mijoter jusqu'à ce que la sauce épaississe.

4 Retirer le laurier. Remettre les foies dans la poêle et réchauffer. Saler et poivrer. Napper les pâtes de sauce et servir.

POUR 4 PERSONNES

350 g (12 onces) de foies de volaille

500 g (1 lb) de pennes

1 oignon

2 gousses d'ail

50 ml (4 c. à s.) de beurre

30 ml (2 c. à s.) de zeste d'orange non traitée

2 feuilles de laurier

125 ml (½ t.) de vin rouge

30 ml (2 c. à s.) de concentré de tomate

30 ml (2 c. à s.) de crème à 35 %

Préparation : 15 minutes + temps de cuisson

SPAGHETTIS AUX PLEUROTES ET AU ROMARIN

1 Cuire les spaghettis dans de l'eau bouillante salée jusqu'à ce qu'ils soient *al dente* et égoutter en réservant 30 ml (2 c. à soupe) d'eau de cuisson.

2 Brosser les champignons et émincer.

3 Laver le romarin, sécher et hacher finement les feuilles.

4 Mélanger les pâtes, le romarin, le beurre et l'eau de cuisson réservée, saler et poivrer. Râper le parmesan au-dessus des pâtes et incorporer.

5 Répartir les pâtes dans des assiettes chaudes, garnir de pleurotes et arroser d'huile de canola. Servir immédiatement.

POUR 4 PERSONNES

450 g (1 lb) de spaghettis
sel
1 l (4 t.) de pleurotes
1 brin de romarin
poivre
75 ml (⅓ t.) de beurre
75 ml (⅓ t.) de parmesan
30 ml (2 c. à s.) d'huile de canola

Préparation : 10 minutes + temps de cuisson

ASTUCE

Les pleurotes peuvent être remplacées par des champignons de Paris ou encore des cèpes frais, qui donneront au plat une note particulièrement savoureuse et raffinée.

185

PÂTES AU PARMESAN
ET AU BEURRE BRUN

POUR 4 PERSONNES

400 g (1 lb) de pappardelle
sel
250 ml (1 t.) de parmesan
150 ml (⅔ t.) de beurre

Préparation : 20 minutes

1 Chauffer les assiettes.
Cuire les pappardelle
dans de l'eau bouillante salée
jusqu'à ce qu'elles soient
al dente.

2 Râper le parmesan. Dans
une poêle, faire fondre
le beurre jusqu'à ce qu'il soit
doré.

3 Égoutter les pâtes
et incorporer au beurre
chaud. Répartir aussitôt
dans les assiettes chaudes
et saupoudrer de parmesan.

BUCATINI ET LEUR SAUCE AU GORGONZOLA

1 Retirer la croûte du gorgonzola, couper en dés et faire fondre dans une casserole à feu doux.

2 Ajouter la crème, saler et poivrer. Ajouter un peu de sucre et cuire 3 à 5 minutes sans cesser de remuer.

3 Couper les tranches de jambon en deux, ajouter à la sauce et réchauffer. Cuire les spaghettis dans de l'eau bouillante salée jusqu'à ce qu'ils soient *al dente* et égoutter.

4 Laver le persil, sécher et hacher. Répartir les pâtes et la sauce dans des assiettes, parsemer de persil et servir.

POUR 4 PERSONNES

125 ml (½ t.) de gorgonzola

250 ml (1 t.) de crème à 15 %

sel

poivre

sucre

150 g (5 onces) de tranches de prosciutto

400 g (1 lb) de bucatini

1 bouquet de persil

Préparation : 25 minutes

ASTUCE

Pour une saveur plus douce, utiliser le gorgonzola dolce, mélangé avec du mascarpone.

187

TAGLIATELLES AUX MORILLES

POUR 4 PERSONNES

750 ml (3 t.) de morilles
fraîches
ou 250 ml (1 t.) de morilles
déshydratées
30 ml (2 c. à s.) de beurre
250 ml (1 t.) de crème
à 35 %
15 ml (1 c. à s.) de Marsala
sel
poivre du moulin
jus de ½ citron
400 g (1 lb) de tagliatelles
fraîches

**Préparation : 25 minutes
+ temps de cuisson**

1 Faire tremper les morilles fraîche 5 minutes dans de l'eau froide ou faire tremper les morilles séchées à couvert 30 minutes dans de l'eau tiède. Rincer soigneusement chaque morille à l'eau courante. Couper les plus grosses en deux ou en quatre, et bien égoutter sur un torchon.

2 Dans une sauteuse, chauffer le beurre, ajouter les morilles et faire revenir 10 minutes. Ajouter le Marsala et la crème progressivement, et laisser mijoter jusqu'à ce que la crème ait un peu épaissi. Saler, poivrer et arroser de jus de citron.

3 Cuire les tagliatelles dans de l'eau bouillante salée jusqu'à ce qu'elles soient *al dente* et égoutter. Ajouter les pâtes dans la sauteuse, mélanger et répartir dans des assiettes chaudes.

PENNES CORSÉES

POUR 4 PERSONNES

400 g (1 lb) de pennes

sel

250 ml (1 t.) de petits pois surgelés, décongelés

1 bouquet de persil

30 ml (2 c. à s.) de concentré de tomate

15 ml (1 c. à s.) de ketchup

1 gousse d'ail, hachée

5 à 10 ml (1 à 2 c. à thé) de câpres hachées

30 ml (2 c. à s.) d'huile d'olive

sucre

1 piment rouge

125 ml (½ t.) d'olives noires

125 ml (½ t.) de parmesan

Préparation : 20 minutes

1 Cuire les pennes dans de l'eau bouillante salée jusqu'à ce qu'elles soient *al dente* en ajoutant les petits pois 2 minutes avant la fin de la cuisson. Laver le persil, sécher et hacher finement.

2 Mélanger le concentré de tomate, le ketchup, l'ail, les câpres et l'huile d'olive, saler et ajouter 1 pincée de sucre. Épépiner le piment, hacher finement et incorporer au mélange précédent.

3 Égoutter les pâtes et les petits pois, incorporer à la sauce et ajouter les olives et le persil. Couper le parmesan en copeaux, garnir le tout et servir.

PENNES AUX COURGETTES ET À LA RICOTTA

1 Cuire les pennes dans de l'eau bouillante salée jusqu'à ce qu'elles soient *al dente* et égoutter. Laver les courgettes, préparer et blanchir 2 minutes à l'eau bouillante salée. Rincer à l'eau froide et couper en rondelles de 1 cm (0.4 po). Peler l'ail et hacher menu. Laver le basilic, sécher et ciseler.

2 Dans une poêle, chauffer l'huile, ajouter les courgettes et faire revenir 1 minute. Incorporer l'ail. Mélanger les pennes, les courgettes, le basilic et la ricotta, saler et poivrer. Servir saupoudré de parmesan.

POUR 4 PERSONNES

400 g (1 lb) de pennes

sel

2,5 l (10 tasses) de petites courgettes (5 courgettes)

4 gousses d'ail

1 bouquet de basilic

30 à 45 ml (2 à 3 c. à s.) d'huile d'olive

375 ml (1½ t.) de ricotta, émiettée

poivre

125 ml (½ t.) de parmesan, râpé

Préparation : 15 minutes

FETTUCCINES AUX POIREAUX

1 Nettoyer les poireaux et couper en fines rondelles. Brosser les champignons, retirer les pieds et les émincer finement.

2 Cuire les fettuccines dans de l'eau bouillante salée jusqu'à ce qu'elles soient *al dente*, égoutter et réserver au chaud.

3 Dans une poêle, chauffer le beurre, ajouter les poireaux et les champignons, et cuire 5 minutes à feu vif sans cesser de remuer. Saler, poivrer et ajouter le piment de Cayenne. Mouiller avec le vin blanc, incorporer la crème et laisser mijoter 6 à 8 minutes. Ajouter de la noix muscade.

4 Incorporer les pâtes à la sauce, répartir dans des assiettes chaudes et servir avec le parmesan à part.

POUR 4 PERSONNES

2 poireaux

375 ml (1½ t.) de champignons

250 g (½ lb) de fettuccines

sel

30 ml (2 c. à s.) de beurre

poivre du moulin

1 pincée de piment de Cayenne

125 ml (½ t.) de vin blanc sec

250 ml (1 t.) de crème à 35 %

noix muscade fraîchement râpée

250 ml (1 t.) de parmesan, fraîchement râpé

Préparation : 25 minutes

TAGLIATELLES ET LEUR SAUCE AU BROCOLI ET AU FROMAGE FRAIS

POUR 4 PERSONNES

875 ml (2½ t.) de brocoli
600 ml (2⅓ t.) de bouillon de légumes
1 oignon
15 ml (1 c. à s.) de beurre
300 g (½ lb) de tagliatelles
sel
125 ml (½ t.) de fromage frais aux fines herbes
125 ml (½ t.) de parmesan, fraîchement râpé
poivre

Préparation : 25 minutes

1 Nettoyer le brocoli, séparer en fleurettes et hacher la tige. Chauffer le bouillon, ajouter les fleurettes et cuire 4 minutes dans le bouillon. Égoutter en réservant le bouillon.

2 Peler l'oignon et couper en dés. Dans une poêle, faire fondre le beurre, ajouter l'oignon et le brocoli haché, et faire revenir. Déglacer avec 500 ml (2 t.) du bouillon, couvrir et cuire 8 minutes.

3 Cuire les tagliatelles dans de l'eau bouillante salée jusqu'à ce qu'elles soient *al dente* et égoutter.

4 Réduire le brocoli en purée dans le bouillon, incorporer le fromage frais et 50 ml (¼ t.) de parmesan, et ajouter les fleurettes de brocoli. Porter de nouveau à ébullition, saler et poivrer. Ajouter les pâtes, mélanger et répartir dans des assiettes chaudes. Saupoudrer de poivre et du parmesan restant, et servir.

LASAGNES AUX ÉPINARDS

1 Laver les épinards, blanchir 5 minutes à l'eau bouillante salée et rincer à l'eau froide. Transférer dans une passoire et presser de façon à exprimer l'excédent d'eau.

2 Peler les oignons et couper en dés. Laver les tomates et couper en rondelles. Peler l'ail et hacher.

3 Dans une poêle, chauffer le beurre, ajouter les épinards et les oignons, et faire revenir. Saupoudrer de farine et incorporer le lait et la crème.

4 Ajouter l'ail et les herbes de Provence, et cuire 2 minutes. Retirer du feu, incorporer les œufs, saler et poivrer.

5 Dans un plat à gratin, alterner des couches de lasagnes, d'épinards, de tomates et de fromage, en terminant par une couche d'épinards et de fromage.

6 Cuire au four préchauffé, à 180 °C (350 °F), 50 minutes. Hacher finement le persil, parsemer les lasagnes et servir immédiatement.

POUR 4 PERSONNES

2 kg (4 lb) d'épinards

sel

250 ml (1 t.) d'oignons

6 tomates de vigne

1 ou 2 gousses d'ail

50 ml (4 c. à s.) de beurre

75 ml (⅓ t.) de farine

300 ml (1¼ t.) de lait

250 ml (1 t.) de crème à 35 %

15 ml (1 c. à s.) d'herbes de Provence séchées

5 œufs

poivre

12 à 15 lasagnes (sans pré-cuisson)

500 ml (2 t.) de fontina râpée

½ bouquet de persil plat

Préparation : 20 minutes + temps de cuisson

GRATIN DI CARCIOFI

POUR 4 PERSONNES

200 g (½ lb) de tagliatelles
sel
2 branches de céleri
1 bouquet de persil plat
100 g (4 onces) de saucisse
blanche de volaille
1 petite botte d'asperges
sucre
6 cœurs d'artichauts à l'huile
en boîte
noix muscade, poivre
250 ml (1 t.) de parmesan

**Préparation : 25 minutes
+ temps de cuisson**

1 Cuire les pâtes à l'eau
bouillante salée jusqu'à
ce qu'elles soient *al dente*.
Rafraîchir à l'eau courante
et égoutter.

2 Laver le céleri et le persil.
Couper les branches de
céleri en deux et détailler
en morceaux de 5 mm
(0,2 po). Hacher le persil.

3 Couper la saucisse en
fines lamelles. Laver
les asperges, retirer le pied
et peler. Couper les tiges
en tronçons de 1 cm (0,4 po).

4 Blanchir le céleri et les
asperges à l'eau bouillante
additionnée de 1 pincée
de sucre et égoutter.

5 Égoutter les artichauts et
couper en quatre.

6 Préchauffer le four à 200 °C
(400 °F) et beurrer un plat
à gratin. Mélanger les pâtes,
le céleri, les lamelles de
saucisse, les asperges
et les cœurs d'artichauts.

7 Ajouter la noix muscade,
saler, poivrer et répartir
le tout dans le plat.

8 Saupoudrer de parmesan
et cuire au four 30 minutes.
Garnir de persil et servir
immédiatement.

LÉGUMES

Découvrez dans ce chapitre comment
varier agréablement vos menus sans
viande ; nos gnocchis à l'orientale
ou notre galette aux pommes et
à la citrouille sauront vous convaincre
que cuisine végétarienne se conjugue
avant tout avec bonne chair !

GNOCCHIS À L'ORIENTALE

POUR 4 PERSONNES

1 kg (2 lb) de pommes de terre à chair farineuse

5 ml (1 c. à thé) de cumin

500 ml (2 t.) de farine

3 jaunes d'œufs

1 petit ananas

½ pomme

2 abricots

1 oignon

125 ml (½ t.) de sucre brun

75 ml (⅓ t.) de vinaigre de xérès

75 ml (⅓ t.) de poudre de curry

15 ml (1 c. à s.) de grains de moutarde

1 pincée de gingembre frais moulu

poudre de piment

2 bottes d'oignons verts

1 piment séché

45 ml (3 c. à s.) d'huile de sésame

45 ml (3 c. à s.) de noix de cajou hachées

50 ml (¼ t.) de gingembre confit

300 ml (1¼ t.) de bouillon de légumes

30 ml (2 c. à s.) de fécule de maïs délayée dans un peu d'eau

Préparation : 25 minutes + temps de cuisson

1 Laver les pommes de terre et cuire 20 minutes avec leur peau dans de l'eau bouillante salée additionnée du cumin. Laisser tiédir, peler et réduire en purée. Mélanger la farine, les jaunes d'œufs et 1 pincée de sel, incorporer à la purée et mélanger jusqu'à obtention d'une pâte souple.

2 Sur un plan fariné, façonner des rouleaux de 1,5 cm (½ po) d'épaisseur, couper en tronçons de 2 cm (⅓ po) et fariner. Aplatir légèrement la surface avec le dos d'une fourchette et répartir les gnocchis sur une plaque farinée.

3 Peler l'ananas et la demi-pomme, et couper en dés. Laver les abricots, dénoyauter et couper en dés. Peler l'oignon et émincer finement.

4 Dans une cocotte, mettre l'oignon, l'ananas, la pomme et les abricots, ajouter le sucre, le vinaigre, 30 ml (2 c. à soupe) de poudre de curry, les grains de moutarde et le gingembre frais, et cuire sans cesser de remuer jusqu'à évaporation totale du liquide. Saler, poivrer et ajouter le piment.

5 Nettoyer les oignons verts, laver et couper en rondelles. Émietter le piment. Dans une grande sauteuse, chauffer l'huile, ajouter les oignons et le piment, et faire revenir. Ajouter les noix de cajou, le gingembre confit et la poudre de curry restante, et saler. Mouiller avec le bouillon et laisser mijoter 4 minutes. Ajouter le contenu de la cocotte et incorporer la fécule de maïs.

6 Cuire les gnocchis 4 minutes dans de l'eau bouillante salée, égoutter et incorporer à la sauce au curry. Servir immédiatement.

RISOTTO À LA CITROUILLE

POUR 4 PERSONNES

500 à 600 ml (2 à 2⅓ t.) de
bouillon de légumes

1 oignon

500 ml (2 t.) de chair de
citrouille

15 ml (1 c. à s.) d'huile
d'olive

15 ml (1 c. à s.) de sauge
fraîche hachée

125 ml (½ t.) de riz arborio

125 ml (½ t.) de parmesan
frais, râpé

sel

poivre

copeaux de parmesan,
en garniture

**Préparation : 15 minutes
+ temps de cuisson**

ASTUCE

**Vous pouvez utiliser
de la purée de citrouille
en conserve.**

1 Porter le bouillon
à ébullition et réserver
au chaud. Peler l'oignon
et hacher finement. Râper
la chair de la citrouille.

2 Dans une cocotte, chauffer
l'huile, ajouter l'oignon
et faire revenir jusqu'à ce
qu'il soit translucide. Ajouter
la citrouille et cuire 5 minutes.
Parsemer de sauge et ajouter
le riz progressivement sans
cesser de remuer de sorte
que les grains soient bien
enrobés d'huile.

3 Mouiller avec 125 ml (½ t.)
de bouillon brûlant sans
cesser de remuer et laisser
le riz l'absorber. Répéter
l'opération jusqu'à ce que
le riz soit tendre sans être
collant. Incorporer le fromage,
saler et poivrer. Servir le
risotto garni de copeaux
de parmesan.

RISOTTO AUX ASPERGES

1 Laver les asperges, peler, retirer le pied et couper le reste en tronçons de la taille d'un doigt. Laver les oignons verts, couper le blanc en tronçons et le vert en anneaux.

2 Porter à ébullition le bouillon additionné de safran et réserver au chaud. Faire griller les amandes effilées à sec.

3 Dans une poêle, chauffer 15 ml (1 c. à soupe) de beurre, ajouter la moitié des amandes, les asperges et les tronçons d'oignons verts, et faire revenir 2 minutes.

Ajouter le riz progressivement sans cesser de remuer de sorte que les grains soient bien enrobés d'huile. Déglacer avec le vin et laisser réduire quelques instants. Mouiller avec un tiers du bouillon brûlant sans cesser de remuer et laisser le riz l'absorber. Répéter l'opération deux fois jusqu'à ce que le riz soit tendre sans être collant.

4 Incorporer le beurre restant, le fromage râpé et les anneaux d'oignons verts. Saler, poivrer et parsemer d'amandes effilées.

POUR 4 PERSONNES

500 g d'asperges blanches (environ 12 asperges)
1 botte d'oignons verts
1,5 l (6 t.) de bouillon de légumes
1 pincée de pistils de safran
45 ml (3 c. à s.) d'amandes effilées
60 ml (4 c. à s.) de beurre
500 ml (2 t.) de riz pour risotto
125 ml (½ t.) de vin blanc
45 ml (3 c. à s.) de parmesan râpé
sel
poivre

Préparation : 20 minutes + temps de cuisson

SUCCOTASH

1 Peler les oignons et hacher. Peler le poivron, laver et détailler en dés.

2 Dans une poêle, faire fondre le saindoux, ajouter les légumes et faire revenir.

3 Peler les pommes de terre et couper en dés. Ajouter dans la poêle, mouiller avec 250 ml (1 t.) d'eau et laisser mijoter 15 minutes.

4 Égoutter les haricots, ajouter au mélange et cuire encore 15 minutes à feu doux.

5 Ajouter les tomates, le maïs et le sucre, saler et poivrer. Servir accompagné d'une viande saignante.

POUR 4 PERSONNES

2 oignons

1 poivron

30 ml (2 c. à s.) de saindoux

2 pommes de terre

375 ml (1½ t.) de haricots rouges en boîte

625 ml (2½ t.) de tomates concassées en boîte

600 ml (2⅓ t.) de maïs en grains en boîte

5 ml (1 c. à thé) de sucre

sel

poivre

**Préparation : 20 minutes
+ temps de cuisson**

GALETTE AUX POMMES ET À LA CITROUILLE

POUR 4 PERSONNES

750 ml (3 t.) de farine
1 pincée de sel
175 ml (¾ t.) de beurre,
coupé en dés et froid
125 ml (½ t.) d'eau glacée
625 ml (2½ t.) de citrouille,
coupée en dés
625 ml (2½ t.) de pommes
cardamome, coriandre
et gingembre en poudre

**Préparation : 25 minutes
+ temps de repos
+ temps de macération
+ temps de cuisson**

1 Mélanger la farine et le sel, ajouter 150 ml (⅔ t.) de beurre et mélanger au batteur. Incorporer l'eau glacée progressivement jusqu'à obtention d'une pâte homogène.

2 Laisser la pâte reposer au réfrigérateur 30 minutes. Mélanger la citrouille et les pommes, épicer selon son goût et laisser mariner 30 minutes. Préchauffer le four à 180 °C (350 °F).

3 Chemiser la plaque du four de papier parchemin. Sur un plan fariné, abaisser la pâte en un rond de 28 cm (11 po) de diamètre ayant un rebord de 5 cm (2 po).

4 Répartir le mélange à base de citrouille sur le rond et rabattre le rebord sur la garniture. Parsemer du beurre restant et humecter les bords.

5 Déposer la galette sur la plaque et cuire au four 40 minutes. Laisser tiédir 10 minutes et servir.

POLENTA AUX BETTES

1 Porter le bouillon à ébullition et ajouter la semoule de maïs progressivement sans cesser de remuer. Ajouter le beurre au poivre, saler et cuire 10 à 15 minutes à feu moyen en remuant de temps en temps, jusqu'à ce que la semoule de maïs se détache en bloc des parois de la casserole. Transférer sur un plan de travail et laisser tiédir. Façonner un boudin de pâte et couper en tranches.

2 Nettoyer les bettes, laver et ôter les nervures épaisses des feuilles. Couper les côtes en petits morceaux, hacher les feuilles et blanchir le tout 4 à 5 minutes à l'eau bouillante salée.

3 Retirer à l'aide d'une écumoire et égoutter. Peler les échalotes et hacher menu. Dans une sauteuse, chauffer la moitié de l'huile, ajouter les bettes, les tomates et les herbes, et faire revenir 4 à 5 minutes. Saler, poivrer et ajouter du paprika.

4 Faire frire les tranches de polenta dans l'huile restante. Servir la polenta accompagnée de légumes, et garnies de rondelles de courgettes.

POUR 4 PERSONNES

500 ml (2 t.) de semoule de maïs

1 litre (4 t.) de bouillon de légumes

75 ml (⅓ t.) de beurre au poivre

sel

750 g (1,5 lb) de bettes

6 échalotes françaises

250 ml (1 t.) de tomates concassées en boîte

30 ml (2 c. à s.) d'herbes italiennes hachées (origan, basilic et romarin par exemple)

90 ml (6 c. à s.) d'huile d'olive

poivre

paprika

rondelles de courgettes, en garniture

**Préparation : 20 minutes
+ temps de repos
+ temps de cuisson**

RAGOÛT DE LENTILLES

POUR 4 PERSONNES

375 ml (1½ t.) de lentilles rouges

600 ml (2⅓ t.) de bouillon de légumes

1 oignon rouge

2 gousses d'ail

1 branche de céleri

1 carotte

1 pomme de terre

1 tomate

30 ml (2 c. à s.) d'huile d'olive

15 ml (1 c. à s.) de sauge fraîche hachée

sel

poivre

5 ml (1 c. à thé) de vinaigre

Préparation : 25 minutes + temps de cuisson

1 Dans une cocotte, mettre les lentilles et le bouillon, porter le tout à ébullition. Laisser bouillir 10 minutes.

2 Peler l'ail et l'oignon et hacher. Laver le céleri et couper en rondelles. Peler la carotte et la pomme de terre et couper en dés. Laver la tomate et couper en dés.

3 Dans une poêle, chauffer l'huile, ajouter la sauge et les légumes, et faire revenir. Incorporer la préparation aux lentilles, couvrir et cuire encore 10 minutes à feu doux. Saler, poivrer et arroser de vinaigre.

MOUSSE DE POMMES DE TERRE AUX AMANDES

1 Laver les pommes de terre sans les peler et cuire au four 40 minutes à 200 °C (400 °F).

2 Dans une poêle, faire fondre 15 ml (1 c. à soupe) de beurre, ajouter les amandes et faire griller. Retirer de la poêle immédiatement et laisser refroidir. Réduire en poudre la moitié des amandes et concasser les amandes restantes.

3 Ciseler l'aneth. Peler le demi-concombre, couper en deux dans la longueur, retirer les pépins à l'aide d'une cuillère et couper en dés.

4 Laisser tiédir les pommes de terre, couper en deux et prélever la chair à l'aide d'une petite cuillère.

5 Réduire en purée la chair prélevée et incorporer le beurre restant, la totalité des amandes, le concombre et l'aneth. Saler, poivrer et ajouter de la noix muscade.

POUR 4 PERSONNES

3 à 4 pommes de terre
à chair farineuse

440 ml (1¾ t.) d'amandes

50 ml (4 c. à s.) de beurre

1 bouquet d'aneth

½ concombre

sel

poivre

noix muscade, fraîchement
râpée

**Préparation : 25 minutes
+ temps de cuisson**

POMMES DE TERRE FARCIES

POUR 4 PERSONNES

4 à 6 grosses pommes de terre

375 ml (1½ t.) de champignons de Paris

250 ml (1 t.) de fèves germées

6 oignons verts

huile d'olive

sel

poivre

125 ml (½ t.) de parmesan, râpé

5 ml (1 c. à thé) de thym séché

Préparation : 20 minutes + temps de cuisson

1 Préchauffer le four à 200 °C (400 °F). Bien laver les pommes de terre, piquer à l'aide d'une fourchette et mettre sur une plaque. Cuire au four 45 minutes.

2 Brosser les champignons et émincer. Rincer les fèves germées et bien égoutter. Laver les oignons verts et couper en rondelles.

3 Couper le tiers supérieur des pommes de terre et prélever un peu de chair.

Dans une sauteuse, chauffer 30 ml (2 c. à soupe) d'huile d'olive, ajouter les champignons, les oignons verts et les fèves, et faire revenir rapidement. Saler, poivrer et farcir les pommes de terre de la préparation obtenue.

4 Cuire au four 10 minutes, jusqu'à ce que les pommes de terre soient dorées, parsemer de thym et de parmesan, et servir.

ESCALOPES DE CHOU-RAVE À LA VIENNOISE

POUR 4 PERSONNES

3 à 4 choux-raves
sel
poivre
jus de citron
125 ml (½ t.) de farine
2 œufs, battus
1 l (4 t.) de chapelure
60 ml (4 c. à s.) d'huile

**Préparation : 20 minutes
+ temps de cuisson**

1 Laver le chou-rave, peler couper en rondelles de 1 à 2 cm (½ à ⅓ po) d'épaisseur. Blanchir 2 minutes à l'eau bouillante salée et égoutter. Saler, poivrer et arroser d'un peu de jus de citron.

2 Tamiser la farine dans une assiette, verser les œufs battus dans une deuxième assiette et remplir une troisième assiette de chapelure.

3 Dans une poêle, chauffer l'huile. Passer les tranches de chou-rave alternativement dans la farine, les œufs et la chapelure, ajouter dans la poêle et faire rissoler sur les deux faces. Servir accompagné d'une sauce tomate fruitée.

ESCALOPES DE CÉLERI-RAVE EN CROÛTE DE FLOCONS D'AVOINE

1 Peler le céleri et couper en rondelles de 0,5 cm. Blanchir 3 à 4 minutes à l'eau bouillante salée, égoutter, saler et poivrer.

2 Verser les œufs battus dans une assiette, mettre les flocons d'avoine et les fines herbes dans une deuxième assiette et tamiser la farine dans une troisième assiette.

3 Dans une poêle, chauffer l'huile. Passer les tranches de céleri dans la farine, puis dans les œufs et les flocons d'avoine aux fines herbes. Ajouter dans la poêle et faire rissoler en petites quantités. Servir accompagné d'une sauce au yogourt et de pommes de terre sautées.

POUR 4 PERSONNES

3 céleris-raves

sel

poivre

3 œufs, battus

375 ml (1½ t.) de flocons d'avoine

30 ml (2 c. à s.) de fines herbes fraîches hachées

50 ml (¼ t.) de farine

150 ml (⅔ t.) d'huile

Préparation : 30 minutes + temps de cuisson

213

BURGER VÉGÉTARIEN

1 Dans une casserole, mettre le gruau et 500 ml (2 t.) bouillon, chauffer 20 minutes à feu moyen et laisser refroidir.

2 Incorporer les œufs, les graines de tournesol et les flocons d'avoine.

3 Laver les légumes frais, peler et couper en dés. Faire revenir dans un peu d'huile, transférer dans un robot de cuisine et mélanger finement.

4 Incorporer la purée de légumes au gruau, mélanger jusqu'à obtention d'une pâte souple, saler et poivrer. Laisser reposer 10 minutes.

5 Égoutter les tomates en veillant à recueillir le jus. Dans une sauteuse, chauffer l'huile de noix, ajouter les tomates et cuire 4 à 5 minutes. Saler, poivrer, sucrer et ajouter de l'oignon en poudre. Laver le basilic, sécher et ciseler. Ajouter le bouillon de légumes restant, 2 à 3 cuillerées du jus de tomate réservé, le vinaigre de vin rouge et de framboise, 1 pincée de sucre en poudre et le basilic, et cuire 6 à 7 minutes, jusqu'à ce que la préparation ait réduit.

6 Les mains humides, façonner 6 à 8 galettes avec la pâte de sarrasin, et faire frire 6 à 7 minutes chaque face dans l'huile très chaude.

7 Couper les petits pains en deux, faire griller chaque moitié et napper de sauce à la tomate. Poser une galette sur les bases des petits pains, refermer les petits pains et servir.

POUR 4 PERSONNES

250 ml (1 t.) de gruau de sarrasin

550 ml (2¼ t) de bouillon de légumes

2 œufs

125 ml (½ t.) de graines de tournesol, moulues

105 ml (7 c. à s.) de flocons d'avoine

3 demi-poivrons (rouge, jaune et vert)

½ courgette

½ aubergine

½ tomate

½ oignon

15 ml (1 c. à s.) d'huile d'olive

sel, poivre, sucre

1 grosse boîte de 798 ml (28 oz) de tomates

45 à 60 ml (3 à 4 c. à s.) d'huile de noix

oignon en poudre

2 bouquets de basilic

50 ml (¼ t.) de vinaigre de vin rouge

15 ml (1 c. à s.) de vinaigre de framboise

huile, pour la friture

6 à 8 petits pains complets

**Préparation : 30 minutes
+ temps de repos
+ temps de cuisson**

BEIGNETS DE PURÉE À LA FRANCONIENNE

POUR 4 PERSONNES

6 pommes de terre
sel
1 oignon
2 pommes
2 œufs
1 pincée de sucre
250 ml (1 t.) de farine
60 ml (4 c. à s.) de beurre
farine, pour la panelure

**Préparation : 25 minutes
+ temps de cuisson**

1 Laver les pommes de terre et cuire 25 minutes dans une petite quantité d'eau bouillante salée. Égoutter, laisser tiédir et peler. Réduire en purée.

2 Peler l'oignon et hacher finement. Peler les pommes et couper en dés. Ajouter les pommes et l'oignon à la purée, saler et poivrer. Incorporer les œufs et le sucre, et bien mélanger le tout.

3 Incorporer assez de farine à la purée pour que la pâte

se détache facilement en morceaux. Façonner des petits rouleaux de la longueur d'un doigt et passer dans la farine. Préchauffer le four à 160 °C (325 °F).

4 Dans une sauteuse, chauffer 2 cuillerées à soupe de beurre, ajouter les beignets et faire rapidement rissoler. Enduire avec le beurre restant et cuire au four 30 minutes à 160 °C (325 °F). Servir accompagné d'une compote de pommes.

GALETTES DE COURGETTES

1 Cuire les pommes de terre à l'eau bouillante salée 20 minutes. Égoutter, laisser refroidir et laisser reposer 24 heures.

2 Peler les pommes de terre, râper grossièrement, saler et poivrer. Laver les courgettes, râper et incorporer aux pommes de terre. Ajouter la noix muscade et l'origan.

3 Dans une poêle, chauffer l'huile, répartir 4 petites portions de préparation et faire rissoler les galettes ainsi obtenues 6 minutes sur chaque face. Répéter l'opération avec la préparation restante de façon à obtenir 12 galettes. Servir accompagné de crudités.

POUR 4 PERSONNES

750 g (1½ lb) de pommes de terre

sel

poivre

500 ml (2 t.) de courgettes

1 pincée de noix muscade en poudre

2 ml (½ c. à thé) d'origan séché

60 ml (4 c. à s.) d'huile

**Préparation : 25 minutes
+ temps de repos
+ temps de cuisson**

ASTUCE

Servir avec une sauce composée de crème sure additionnée d'un peu de jus de citron, de sel, de poivre et fines herbes au choix.

217

GRATIN DE CHANTERELLES AUX AUBERGINES, AUX POIREAUX ET AUX TOMATES

POUR 4 PERSONNES

375 ml (1½ t.) de chanterelles

sel

1 aubergine

1 poireau

3 tomates

1 oignon

1 gousse d'ail

45 ml (3 c. à s.) d'huile

175 ml (¾ t.) de bouillon de légumes

2 œufs, battus

375 ml (1½ t.) de gouda, fraîchement râpé

Préparation : 20 minutes + temps de repos + temps de cuisson

1 Brosser les chanterelles, blanchir 5 minutes à l'eau salée et égoutter.

2 Nettoyer l'aubergine, laver et sécher. Couper en rondelles de 1 cm (0,4 po) d'épaisseur, saler et laisser dégorger 15 minutes. Rincer, sécher et couper en dés.

3 Laver le poireau, et couper en rondelles. Laver les tomates, sécher et couper en dés.

4 Peler l'ail et l'oignon, et couper en dés. Dans une sauteuse, chauffer l'huile, ajouter l'ail et l'oignon, et faire revenir. Incorporer progressivement l'aubergine, le poireau, les tomates et les champignons, et cuire 3 minutes à feu vif. Mouiller avec le bouillon, porter à ébullition et retirer du feu. Laisser tiédir et incorporer les œufs battus.

5 Répartir la préparation obtenue dans un plat à gratin, parsemer de fromage et cuire au four 25 minutes à 180 °C (350 °F), jusqu'à ce que le gratin soit doré. Servir le gratin accompagné de tranches de pain frais.

ASTUCE

Les chanterelles peuvent être remplacées par d'autres espèces de champignons des bois ou des champignons shiitake frais. La recette est identique ; si leur taille l'exige, émincer les champignons avant de les faire revenir.

TENTATION DE JANSSON

POUR 4 PERSONNES

8 pommes de terre moyennes

2 oignons

10 filets d'anchois marinés en boîte

250 ml (1 t.) de crème à 35 %

500 ml (2 t.) de chapelure

30 ml (2 c. à s.) de beurre coupé en dés

Préparation : 20 minutes + temps de cuisson

1 Peler les pommes de terre, couper en bâtonnets et faire tremper dans de l'eau froide de façon à éliminer l'amidon.

2 Préchauffer le four à 220 °C (425 °F). Peler les oignons et hacher grossièrement. Beurrer un plat à gratin.

3 Égoutter les pommes de terre et sécher. Égoutter les anchois en réservant la saumure et couper en deux.

4 Répartir la moitié des pommes de terre dans le fond du plat, recouvrir d'oignons, ajouter les filets d'anchois et terminer par les pommes de terre restantes.

5 Arroser avec la saumure réservée, napper de la moitié de la crème fraîche et parsemer de chapelure. Garnir de dés de beurre et cuire au four 50 minutes à 1 heure. Ajouter la crème restante à mi-cuisson.

PATATES DOUCES À L'ANANAS

1 Laver les patates douces, peler et couper en fines rondelles.

2 Dans une poêle, chauffer le beurre jusqu'à ce qu'il soit mousseux, ajouter les patates douces et faire revenir légèrement sans cesser de remuer.

3 Peler l'ananas, retirer le cœur boisé et couper la chair en dés. Ajouter dans la poêle, saler, poivrer, et incorporer le sucre et la cannelle.

4 Cuire 15 minutes à feu doux en mouillant régulièrement avec un peu d'eau si nécessaire.

5 Couper le jambon en dés, ajouter à la préparation et réchauffer.

POUR 4 PERSONNES

4 à 5 patates douces

1 noix de beurre

1 petit ananas

poivre

sel

5 ml (1 c. à thé) de sucre non raffiné

cannelle en poudre

200 g (½ lb) de jambon cuit

Préparation : 20 minutes + temps de cuisson

ASTUCE

Des blancs de poulet grillés remplaceront à merveille le jambon.

TERRINE DE POMMES DE TERRE

1 Peler les pommes de terre et cuire 20 minutes à l'eau salée. Détacher les feuilles du chou et blanchir 4 minutes dans le bouillon. Égoutter et retirer les nervures épaisses des feuilles.

2 Nettoyer les poivrons, épépiner et couper en lanières. Nettoyer les tomates et couper en deux.

3 Laver le basilic, sécher et ciseler. Préchauffer le four à 180 °C (350 °F).

4 Dans une poêle, chauffer l'huile, ajouter les poivrons, les tomates et le basilic, et faire revenir. Saler, poivrer et incorporer du paprika.

5 Réduire les pommes de terre encore chaudes en purée, incorporer le lait bouillant, la crème et le fromage, et bien mélanger le tout. Saler, poivrer et incorporer du paprika.

6 Beurrer un moule à gâteau et tapisser de feuilles de chou pointu en les laissant largement dépasser.

7 Répartir de la purée de pommes de terre sur les feuilles de chou, ajouter les légumes et terminer par la purée restante. Rabattre les feuilles de chou sur la purée et couvrir de papier d'aluminium.

8 Cuire au four 20 minutes en retirant le papier d'aluminium 10 minutes avant la fin de la cuisson. Couper en tranches, répartir dans des assiettes et servir.

POUR 4 PERSONNES

3 à 4 de pommes de terre
sel

1,5 l (6 t.) de chou

500 ml (2 t.) de bouillon de légumes

1 poivron rouge

1 poivron vert

1 poivron jaune

375 ml (1½ t.) de tomates cerises

1 bouquet de basilic

45 ml (3 c. à s.) d'huile d'olive

poivre

paprika

175 ml (¾ t.) de lait, porté au point de frémissement

30 ml (2 c. à s.) de crème à 35 %

250 ml (1 t.) de fromage piquant à pâte dure, râpé

Préparation : 20 minutes + temps de cuisson

DESSERTS ET GÂTEAUX

Si vous considérez qu'un repas doit

obligatoirement s'achever sur

une note sucrée, ou si vous êtes

adepte du grignotage, nos idées de

desserts vite faits sont pour vous !

SORBET AU MELON

POUR 8 PERSONNES

2 cantaloups

1 gros melon miel

125 ml (½ t.) de sucre glace

45 ml (3 c. à s.) de jus de citron

75 ml (⅓ t.) de jus de pomme

feuilles de menthe, pour décorer

Préparation : 20 minutes + temps de repos + temps de glaçage

1 Couper les melons en tranches. Couper la chair en morceaux et réduire en purée.

2 Mélanger la purée de melon et le sucre en poudre et laisser reposer 30 minutes.

3 Ajouter le jus de citron et le jus de pomme, transférer dans une jatte adaptée à la congélation et laisser prendre 2 heures au congélateur en remuant plusieurs fois. Former des boules de glace et laisser glacer encore 15 minutes.

4 Déposer les tranches de melon sur des assiettes, déposer une boule de sorbet sur chaque tranche et décorer de feuilles de menthe.

ASTUCE

Le jus de pomme peut être remplacé par du champagne ; on peut également parfumer le sorbet avec quelques gouttes de liqueur avant de le mettre à glacer.

226

MOUSSE AU CHOCOLAT BLANC

POUR 8 PERSONNES

3 œufs

250 ml (1 t.) de crème
à 35 %

125 ml (½ t.) de chocolat
blanc

60 ml (4 c. à s.) de sucre

sauce au chocolat noir

**Préparation : 20 minutes
+ temps de réfrigération**

1 Séparer les blancs des jaunes. Monter les blancs d'œufs en neige. Fouetter la crème en chantilly. Faire fondre le chocolat au bain-marie sans cesser de remuer et retirer du feu. Fouetter les jaunes d'œufs jusqu'à ce qu'ils blanchissent, incorporer au chocolat fondu et ajouter le sucre, la chantilly et les blancs en neige.

2 Verser la mousse dans une jatte en verre, mettre au réfrigérateur et laisser reposer 12 heures. Former des boules de mousse à l'aide d'une cuillère portionneuse, déposer sur des assiettes et décorer de filets de sauce au chocolat noir.

ASTUCE

Incorporer les jaunes d'œufs au chocolat liquide, mais non brûlant, afin d'éviter qu'ils ne coagulent.

TERRINE GLACÉE AUX FRUITS

1 Couvrir le fond d'une jatte froide d'un peu de crème glacée à la noix de coco légèrement ramollie. Planter les morceaux d'ananas et de cerises confites dans la crème glacée, mettre au congélateur et laisser prendre 1 heure.

2 Ajouter une couche de crème glacée à la pistache, remettre au congélateur et laisser prendre encore 1 heure.

3 Ajouter une couche de crème glacée à la cerise, puis une couche de crème glacée à la pistache, et terminer par une couche de crème glacée à la noix de coco. Il est possible d'adapter l'ordre et les parfums selon les goûts. Mettre la jatte au congélateur et laisser prendre 12 heures.

4 Peler le kiwi et couper en rondelles. Couper les fraises en deux. Égoutter les pêches. Mélanger les fruits et arroser de rhum. Plonger rapidement la jatte glacée dans l'eau chaude et démouler. Décorer de fruits et de copeaux de chocolat.

POUR 6 PERSONNES

500 ml (2 t.) de glace à la noix de coco

50 ml (¼ t.) d'ananas confit

50 ml (¼ t.) de cerises confites

250 ml (1 t.) de crème glacée à la pistache

250 ml (1 t.) de crème glacée à la cerise

1 kiwi

250 ml (1 t.) de fraises

3 moitiés de pêches en boîte

20 ml (4 c. à thé) de rhum

125 ml (½ t.) de copeaux de chocolat

Préparation : 20 minutes + temps de glaçage

229

GÂTEAU AU FROMAGE À LA CRÈME ET AU CITRON

POUR 12 PERSONNES

18 de biscuits doigts de
dame

125 ml (½ t.) de beurre

625 ml (2½ t.) de fromage à
la crème

300 ml (1¼ t.) de yogourt

125 ml (½ t.) de jus
de citron

2 feuilles de gélatine

70 g de sucre

75 ml (⅓ t.) de jus
d'orange

75 ml (⅓ t.) de jus
de raisin

**Préparation : 20 minutes
+ temps de réfrigération**

1 Enfermer les biscuits dans un sachet en plastique et écraser à l'aide d'un rouleau à pâtisserie.

2 Dans une casserole, faire fondre le beurre et incorporer les biscuits émiettés.

3 Chemiser un moule à manqué à fond amovible de papier parchemin et garnir du mélange à base de biscuits.

4 Mélanger le fromage à la crème, le yogourt et 45 ml (3 c. à s soupe) de jus de citron. Dissoudre la gélatine dans le jus d'orange et le jus de raisin, ajouter le sucre et porter à ébullition. Incorporer la préparation obtenue au mélange à base de fromage frais.

5 Répartir la préparation sur le fond de tarte, mettre au réfrigérateur et laisser prendre au moins 3 heures. Décorer de fruits et servir.

ASTUCE

On peut réaliser le fond en mélangeant au beurre fondu des petits morceaux de beurres émiettés au lieu de biscuits à la cuiller.

YOGOURT AUX FRAMBOISES

POUR 6 PERSONNES

625 ml (2½ t.) de yogourt
75 ml (5 c. à s.) de sucre
ou de miel
15 ml (1 c. à s.) de jus
de citron
750 ml (3 t.) de framboises
fraîches
feuilles de menthe,
pour garnir

Préparation : 20 minutes

1 Mélanger le yogourt, le jus de citron et le sucre ou le miel.

2 Trier les framboises, laver et sécher. Réserver 6 framboises pour la garniture.

3 Dans des coupes, alterner des couches de yogourt et de framboises, et garnir de feuilles de menthe et de framboises.

CAILLÉ VANILLE ET GLACE FRAISE

1 Mélanger le caillé, la crème, le lait et la vanille, et incorporer le sucre et le sucre vanillé.

2 Déposer 2 boules de crème glacée à la fraise dans des coupes et napper du mélange précédent.

3 Laver les fraises, sécher et couper en deux. Décorer les coupes de fraises et de feuilles de menthe.

POUR 4 PERSONNES

350 ml (1⅖ t.) de babeurre froid

125 ml (½ t.) de crème à 35 %

125 ml (½ t.) de lait

pulpe d'une gousse de vanille

30 ml (2 c. à s.) de sucre

15 ml (1 c. à s.) de sucre vanillé

8 boules de crème glacée à la fraise

8 fraises

feuilles de menthe, pour décorer

Préparation : 15 minutes

ASTUCE

Aliment sain grâce aux bactéries qu'il contient, le babeurre est aussi un mets très rafraîchissant.

233

ORANGES SANGUINES EN GELÉE DE PROSECCO

POUR 6 PERSONNES

5 feuilles de gélatine

6 oranges

250 ml (1 t.) de jus d'orange sanguine

250 ml (1 t.) de sucre

175 ml (¾ t.) de prosecco (vin mousseux)

150 ml (⅔ t.) de crème à fouetter

15 ml (1 c. à s.) de sucre vanillé

125 ml (½ t.) de yogourt

15 ml (1 c. à s.) de jus de citron

mélisse, en garniture

Préparation : 20 minutes + temps de macération

1 Faire tremper la gélatine dans l'eau froide. Peler les oranges à vif, séparer en quartiers et égoutter en veillant à recueillir le jus et répartir dans des coupes. Réserver au réfrigérateur.

2 Dans une casserole, verser le jus des oranges réservé, le jus d'orange sanguine et le sucre, et chauffer légèrement le tout. Égoutter la gélatine, ajouter dans la casserole et chauffer sans cesser de remuer, jusqu'à ce qu'elle ait fondu. Laisser refroidir 5 minutes.

3 Ajouter le vin dans la casserole et verser le mélange obtenu dans les coupes. Couvrir, mettre au réfrigérateur et laisser mariner 5 heures.

4 Fouetter la crème en chantilly avec le sucre vanillé, ajouter le yogourt et le jus de citron, et garnir les coupes. Laver la mélisse et en garnir les coupes.

ANANAS GRILLÉ

1 Peler l'ananas, retirer le cœur boisé et couper en rondelles de 1,5 cm (½ po) d'épaisseur. Répartir les tranches d'ananas dans une jatte, arroser de lait de coco et laisser marinade 30 minutes.

2 Égoutter l'ananas, bien essuyer et huiler. Cuire 6 à 8 minutes sur un gril brûlant en les retournant plusieurs fois.

3 Chauffer le miel. Disposer les tranches d'ananas sur des assiettes, napper de miel liquide et servir accompagné de crème fouettée.

POUR 6 PERSONNES

1 ananas
75 ml (⅓ t.) de lait de coco
45 ml (3 c. à s.) d'huile de canola
90 ml (6 c. à s.) de miel

**Préparation : 20 minutes
+ temps de macération
+ temps de cuisson**

TRUFFES À L'ORANGE

POUR 20 TRUFFES

30 ml (2 c. à s.) de beurre

75 ml (5 c. à s.) de crème à 35 %

225 g (½ lb) de chocolat blanc

15 ml (1 c. à s.) de liqueur d'orange

60 ml (4 c. à s.) de pistaches hachées

Préparation : 20 minutes + temps de réfrigération

1 Dans une casserole, mettre le beurre et la crème, porter à ébullition et laisser bouillir 1 minute sans cesser de remuer. Ajouter 225 g de chocolat blanc cassé en morceaux, chauffer sans cesser de remuer jusqu'à ce qu'il ait fondu et incorporer la liqueur d'orange.

2 Répartir la préparation obtenue dans un moule chemisé de papier parchemin.

Mettre au réfrigérateur et laisser prendre 2 heures.

3 Façonner 20 truffes et remettre au réfrigérateur 30 minutes.

4 Faire fondre le chocolat restant au bain-marie, plonger les truffes l'une après l'autre et égoutter sur une grille. Parsemer de pistaches et laisser prendre sur du papier parchemin.

MINI-CHAUSSONS AUX FRUITS

1 Faire décongeler la pâte feuilletée. Laver les fruits, peler si nécessaire et couper en dés ou égrapper.

2 Préchauffer le four à 200 °C (400 °F). Diviser la pâte en 12 portions, abaisser en carrés sur un plan fariné.

3 Délayer le blanc d'œuf dans 15 ml (1 c. à soupe) d'eau et enduire les bords des carrés de pâte. Répartir les fruits au centre de chaque carré et rabattre en triangle. Sceller les bords, enduire de blanc d'œuf et déposer sur une plaque passée sous l'eau froide. Cuire au four 25 minutes à 200 °C (400 °F).

POUR 12 PERSONNES

450 g (1 lb) de pâte feuilletée surgelée

500 ml (2 t.) de fruits de saison variés (fraises, framboises, groseilles, poires, kiwis et pêches par exemple)

1 blanc d'œuf

Préparation : 20 minutes + temps de cuisson

ASTUCE

Servir avec une boule de crème glacée à la vanille ou de la crème fouettée.

TIRAMISU

POUR 10 PERSONNES

250 ml (1 t.) de crème
à 35 %

30 ml (2 c. à s.) de sucre
vanillé

125 ml (½ t.) de sucre

250 ml (1 t.) de yogourt

250 ml (1 t.) de
mascarpone

environ 35 biscuits doigts
de dame

250 ml (1 t.) d'espresso
froid

125 ml (½ t.) de liqueur de
café

cacao en poudre,
en garniture

**Préparation : 25 minutes
+ temps de repos**

1 Fouetter la crème en
chantilly avec le sucre
vanillé. Mélanger le sucre,
le mascarpone et le yogourt,
et incorporer la crème
fouettée.

2 Répartir la moitié des
biscuits au fond d'un plat.
Mélanger l'espresso et la
liqueur de café, arroser
les biscuits et napper
de la moitié de la crème
au mascarpone. Répéter
l'opération avec les ingrédients
restants et lisser la surface.
Mettre au réfrigérateur
et laisser reposer 12 heures.
Saupoudrer de cacao
et servir.

CRÈME AU MASCARPONE ET AUX FRUITS

1 Mélanger le mascarpone, le yogourt et le jus de citron, et ajouter le sucre.

2 Faire tremper la gélatine selon les indications figurant sur le paquet, égoutter en pressant bien de façon à exprimer l'excédent d'eau et chauffer dans une casserole avec un peu d'eau. Incorporer au mélange à base de fromages.

3 Fouetter la crème en chantilly et incorporer au mélange précédent. Ajouter l'amaretto, mettre au réfrigérateur et laisser prendre 2 heures.

4 Laver les fruits, peler les kiwis et dénoyauter les cerises. Couper les fruits en dés et répartir sur la crème. Décorer de petits gâteaux amaretti.

POUR 6 PERSONNES

250 ml (1 t.) de mascarpone

250 ml (1 t.) yogourt

30 ml (2 c. à s.) de jus de citron

45 ml (3 c. à s.) de sucre

3 feuilles de gélatine blanche

250 ml (1 t.) de crème à 35 %

30 ml (2 c. à s.) d'amaretto

250 ml (1 t.) de cerises

250 ml (1 t.) d'ananas coupé en dés

250 ml (1 t.) de kiwis

250 ml (1 t.) de fraises

petits gâteaux amaretti

Préparation : 20 minutes + temps de réfrigération

BISCUITS FRUITÉS

POUR 8 PERSONNES

2 œufs

60 ml (4 c. à s.) de sucre

30 ml (2 c. à s.) de sucre vanillé

50 ml (¼ t.) de fécule de maïs

50 ml (¼ t.) de farine

2 ml (½ c. à thé) de levure chimique

1 pincée de sel

250 ml (1 t.) de lait

175 ml (¾ t.) de crème à 35 %

500 ml (2 t.) de fruits de saison variés

Préparation : 20 minutes + temps de cuisson

1 Préchauffer le four à 200 °C (400 °F). Battre les œufs avec 15 ml (1 c. à soupe) d'eau, 30 ml (2 c. à soupe) de sucre et 15 ml (1 c. à soupe) de sucre vanillé de façon à ce que le mélange blanchisse. Incorporer 15 ml (1 c. à soupe) de fécule de maïs, la farine, la levure chimique et le sel, et mélanger jusqu'à obtention d'une pâte homogène.

2 Abaisser la pâte sur une plaque chemisée de papier parchemin et cuire au four 12 minutes. Renverser la pâte sur un torchon saupoudré de sucre et retirer le papier parchemin.

3 Délayer la fécule de maïs et le sucre vanillé restant dans 75 ml (⅓ t.) de lait. Porter le lait restant à ébullition, ajouter le mélange précédent et cuire 2 minutes à feu doux, jusqu'à ce que la préparation épaississe. Ajouter le sucre restant et la crème, et laisser refroidir. Napper la pâte et la couper en 8 biscuits.

4 Préparer les fruits et les répartir sur les biscuits.

GRANITÉ À LA LIME

1 Chauffer 250 ml (1 t.) d'eau, ajouter le sucre et cuire jusqu'à ce qu'il soit dissous. Laisser refroidir, incorporer le jus de lime et le vin blanc.

2 Transférer dans une jatte adaptée à la congélation, mettre au congélateur et laisser prendre 5 heures, en mélangeant bien à l'aide d'une cuillère à soupe dès que les bords commencent à prendre. Recommencer l'opération cinq ou six fois au cours du glaçage : le granité sera d'autant plus fin qu'il aura été souvent remué.

3 Verser 15 ml (1 c. à soupe) de liqueur dans des verres froids. Gratter le granité à l'aide d'une cuillère et remplir les verres. Décorer de feuilles de menthe et servir immédiatement.

POUR 6 PERSONNES

75 ml (⅓ t.) de sucre
500 ml (2 t.) de jus de lime
150 ml (⅔ t.) de vin blanc
90 ml (6 c. à s.) de liqueur d'orange
1 brin de menthe fraîche, en garniture

Préparation : 20 minutes + temps de glaçage

ASTUCE

On peut aussi présenter ce sorbet dans des verres à cocktail et un fond de champagne.

GÂTEAU DE RIZ À L'ANANAS

POUR 8 PERSONNES

1 litre (4 t.) de lait

2 ml (½ c. à thé) de sel

pulpe de 1 gousse de vanille

2 bâtons de cannelle

5 ml (1 c. à thé) de zeste
de lime râpé

250 ml (1 t.) de riz long
grain

175 ml (¾ t.) de sucre

16 feuilles de gélatine

4 jaunes d'œufs

4 blancs d'œufs

500 ml (2 t.) de crème
à 35 %

½ gros ananas, coupé
en dés

125 ml (½ t.) de cerises
confites, dénoyautées

75 ml (5 c. à s.) de
pistaches hachées

**Préparation : 20 minutes
+ temps de cuisson
+ temps de réfrigération**

1 Dans une casserole, mettre le lait, le sel, la vanille, les bâtons de cannelle et le zeste de lime, et porter à ébullition. Rincer le riz, ajouter dans la casserole et cuire 25 minutes. Retirer la cannelle et ajouter le sucre. Faire tremper la gélatine 10 minutes dans de l'eau froide, presser de façon à exprimer l'excédent d'eau et incorporer au riz. Ajouter les jaunes d'œufs et mélanger.

2 Monter les blancs d'œufs en neige. Fouetter la crème en chantilly, incorporer les dés d'ananas, les cerises et les pistaches. Ajouter les blancs en neige au riz refroidi et mélanger à la chantilly aux fruits. Répartir le tout dans un moule à gâteau, mettre au réfrigérateur et laisser prendre 3 heures. Démouler et servir.

MOUSSE AU SIROP D'ÉRABLE

1 Faire tremper la gélatine dans 30 ml (2 c. à soupe) d'eau 10 minutes et presser de façon à exprimer l'excédent d'eau. Faire tiédir le sirop d'érable et y faire fondre la gélatine.

2 Fouetter les jaunes d'œufs jusqu'à ce qu'ils blanchissent et ajouter le sirop d'érable et le rhum.

3 Fouetter la crème en chantilly et incorporer délicatement au mélange sans trop remuer.

4 Mettre au réfrigérateur et laisser prendre. Décorer d'amandes effilées et servir.

POUR 6 PERSONNES

3 feuilles de gélatine blanche

175 ml (¾ t.) de sirop d'érable

3 jaunes d'œufs

20 ml (1½ c. à s.)de rhum brun

400 ml (1¾ t.) de crème à 35 %

amandes effilées, grillées

Préparation : 15 minutes
+ temps de trempage
+ temps de réfrigération

SORBET BANANES-MANGUES

POUR 8 PERSONNES

75 ml (5 c. à s.) de sucre
non raffiné

400 ml (1¾ t.) de thé vert
fraîchement infusé
(5 ml (1 c. à thé) de feuilles
pour 175 ml (¾ t.) d'eau)

6 bananes

1 lime

60 ml (4 c. à s.) de liqueur
de lime

2 mangues

45 ml (3 c. à s.) de rhum

60 ml (4 c. à s.) de jus
d'orange

**Préparation : 20 minutes
+ temps de glaçage
+ temps de macération**

1 Incorporer le sucre au thé et mélanger jusqu'à ce qu'il soit dissous. Peler les bananes, écraser et délayer avec le thé.

2 Rincer la lime à l'eau chaude, râper un peu du zeste et presser le fruit.

3 Ajouter le jus et le zeste de lime à la purée de bananes, mélanger le tout dans un robot de cuisine et ajouter la liqueur de lime.

4 Mettre 8 heures au congélateur, jusqu'à ce que le mélange ait pris, en remuant plusieurs fois à l'aide de deux fourchettes.

5 Peler les mangues et dénoyauter.

6 Détailler la chair de mangue en dés. Mélanger le rhum et le jus d'orange, arroser les mangues et laisser mariner 30 minutes.

7 Servir le sorbet aux bananes garni des dés de mangue marinés.

ASTUCE

**Pour une consistance
plus crémeuse, remplacer
la moitié du thé par
de la crème fouettée
mélangée à la purée
de fruits.**

GÉLÉE D'ANANAS

POUR 6 PERSONNES

500 ml (2 t.) de fromage
cottage
1 sachet de Jell-O
sucre
125 ml (½ t.) de tranches
d'ananas en boîte

**Préparation : 20 minutes
+ temps de cuisson
+ temps de réfrigération**

1 Mettre le fromage cottage dans une passoire, rincer à l'eau courante de sorte qu'il ne donne pas un aspect laiteux à la gelée et égoutter avec soin, dans du papier absorbant si nécessaire.

2 Hacher l'ananas et , égoutter avec soin, dans du papier absorbant si nécessaire. Préparer le Jell-O en utilisant la quantité de sucre indiquée sur le paquet, en diminuant légèrement la proportion d'eau de façon à obtenir un entremets bien ferme.

3 Incorporer le fromage cottage et les morceaux d'ananas à l'entremets, verser dans un moule à pudding et mettre au réfrigérateur.

4 Dès que la préparation commence à prendre, remuer de sorte que l'ananas et le fromage ne tombent pas au fond de la gelée. Démouler et servir nappé de crème anglaise.

246

FLAN À L'ORANGE

1 Préchauffer le four
à 180 °C (350 °F).
Dans une petite casserole,
mettre la marmelade délayée
dans le jus d'orange avec 50 ml
(¼ t.) de sucre, et porter
à ébullition.

2 Garnir le fond d'un moule
de la préparation obtenue,
mettre au réfrigérateur
et laisser prendre. Battre les
œufs avec le sucre restant et
incorporer la crème et le lait
sans cesser de battre à l'aide
d'un fouet.

3 Laver l'orange à l'eau
chaude, râper la moitié
du zeste et couper le fruit
en tranches. Ajouter le zeste
à la crème aux œufs et bien
mélanger. Verser la préparation
dans le moule en passant
au chinois. Placer le moule
au bain-marie et cuire au four
40 minutes. Laisser refroidir,
démouler et garnir de tranches
d'oranges.

POUR 6 PERSONNES

175 ml (¾ t.) de sucre

30 ml (2 c. à s.) de jus
d'orange

45 ml (3 c. à s.) de
marmelade

4 œufs

250 ml (1 t.) de crème
à 35 %

250 ml (1 t.) de lait

1 orange non traitée

**Préparation : 20 minutes
+ temps de réfrigération
+ temps de cuisson**

GÂTEAU DE CAROTTES

1 Préchauffer le four à 180 °C (350 °F). Battre 125 ml (½ t.) de beurre en crème avec les épices, le sucre brun et le sucre vanillé de sorte que le mélange blanchisse et incorporer les œufs un à un.

2 Laver les carottes, peler et râper. Incorporer les carottes et les noix à la préparation précédente.

3 Ajouter la poudre d'amande, la farine, la fécule de maïs, la levure chimique et le sel.

4 Beurrer un moule à manqué à fond amovible de 26 cm (10 po) de diamètre, garnir de la préparation et lisser la surface. Cuire au four 45 minutes.

5 Mélanger le beurre restant, la graisse de coco et le fromage frais, incorporer le sucre en poudre et ajouter le sirop de vanille.

6 Bien mélanger le tout et napper le gâteau refroidi.

POUR 12 PERSONNES

175 ml (¾ t.) de beurre, en pommade

15 ml (1 c. à s.) de sucre vanillé

2 ml (½ c. à thé) de cannelle

2 ml (½ c. à thé) de noix muscade

2 ml (½ c. à thé) de clous de girofle en poudre

250 ml (1 t.) de sucre brun

3 œufs

250 ml (1 t.) de carottes

30 ml (2 c. à s.) de noix ou de noix de pécan, hachées

50 ml (¼ t.) de poudre d'amande

250 ml (1 t.) de farine

125 ml (½ t.) de fécule de maïs

15 ml (1 c. à s.) de levure chimique

1 pincée de sel

15 ml (1 c. à s.) de graisse de coco

125 ml (½ t.) de fromage

500 ml (2 t.) de sucre glace

15 à 30 ml (1 à 2 c. à s.) de sirop de vanille

Préparation : 25 minutes + temps de cuisson

GÂTEAU DE RIZ

POUR 6 PERSONNES

250 ml (1 t.) de riz long grain

350 ml (1⅓ t.) de lait

250 ml (1 t.) de beurre

4 œufs

150 ml (⅔ t.) de sucre

30 ml (2 c. à s.) de sucre vanillé

5 ml (1 c. à thé) de zeste de citron non traité râpé

2 ml (½ c. à thé) de cannelle en poudre

2 ml (½ c. à thé) de noix muscade en poudre

125 ml (½ t.) de raisins secs

Préparation : 15 minutes + temps de refroidissement + temps de cuisson

1 Cuire le riz – de préférence la veille – dans une petite quantité d'eau salée selon les instructions figurant sur le paquet. Égoutter et laisser refroidir.

2 Préchauffer le four à 160 °C (325 °F). Dans une jatte, mettre le lait et les ingrédients restants, bien mélanger le tout et incorporer le riz.

3 Beurrer un plat à gratin, garnir de la préparation et cuire au four 1 heure. Sortir du four, laisser tiédir 20 minutes et servir accompagné d'une compote de fruit.

BROWNIES

1 Préchauffer le four à 190 °C (375 °F). Beurrer un moule à manqué à fond amovible de 24 cm (10 po) de diamètre, fariner et secouer de façon à retirer l'excédent.

2 Faire fondre le chocolat dans une petite casserole à feu doux ou au bain-marie sans cesser de remuer jusqu'à ce qu'il soit bien lisse. Retirer du feu et laisser tiédir.

3 Dans une jatte, battre le beurre en crème au fouet électrique avec, les œufs et le sucre brun jusqu'à ce que le mélange blanchisse.

Ajouter le sucre vanillé, bien mélanger et incorporer le chocolat fondu. Tamiser la farine, la levure chimique et le sel dans la jatte et travailler la pâte jusqu'à ce qu'elle soit homogène.

4 Incorporer les noix hachées à la pâte. Garnir le moule de la préparation obtenue, décorer de noix et cuire au four 30 minutes, jusqu'à ce que la pointe d'un couteau piquée au centre ressorte sans trace de pâte. Laisser refroidir et couper en petites portions.

POUR 12 PERSONNES

125 g (¼ lb) de chocolat amer

75 ml (⅓ t.) de beurre, en pommade

2 œufs

500 ml (2 t.) de sucre brun

15 ml (1 c. à s.) de sucre vanillé

175 ml (¾ t.) de farine

2 ml (½ c. à thé) de levure chimique

2 ml (½ c. à thé) de sel

125 ml (½ t.) de noix, hachées

12 noix de Grenoble

Préparation : 20 minutes + temps de cuisson

PUDDING AUX GROSEILLES

POUR 4 PERSONNES

6 tranches de pain blanc ou de brioche de la veille

30 ml (2 c. à s.) de beurre, fondu

4 œufs

450 ml (1¾ t.) de lait

125 ml (½ t.) de sucre brun

5 ml (1 c. à thé) de cannelle

7 ml (½ c. à s.) de sucre vanillé

250 ml (1 t.) de groseilles fraîches

Préparation : 20 minutes + temps de cuisson

1 Préchauffer le four à 180 °C (350 °F). Rompre le pain ou la brioche en morceaux et les déposer au fond d'un plat de terre à feu beurré.

2 Arroser le pain ou la brioche de beurre fondu. Battre les œufs avec le lait, le sucre brun, la cannelle et le sucre vanillé, verser dans le plat et écraser un peu le pudding de sorte qu'il s'imprègne bien du liquide.

3 Trier les groseilles, laver et égoutter. Répartir sur le pudding et cuire au four 25 minutes, jusqu'à ce que le pudding ait pris et soit légèrement caramélisé.

INDEX DES RECETTES